회귀 경찰의

리셋 라이프

The Reset Life

회귀 경찰의 리셋 라이프 11

초판 1쇄 발행 2022년 6월 9일

지은이 ǀ 한길
발행인 ǀ 신현호
편집장 ǀ 이호준
편집 ǀ 송영규 최종건 정재웅 양동훈 곽원호 조정범 강준석 최성화
편집디자인 ǀ 한방울
영업 ǀ 김민원

펴낸곳 ǀ ㈜ 디앤씨미디어
등록 ǀ 2002년 4월 25일 제20-260호
주소 ǀ 서울시 구로구 디지털로 26길 111 JnK디지털타워 503호
전화 ǀ 02-333-2513(대표)
팩시밀리 ǀ 02-333-2514
E-mail ǀ papy_dnc@dncmedia.co.kr
블로그 ǀ blog.naver.com/gnpdl7

ISBN 979-11-364-3399-2 04810
ISBN 979-11-364-2581-2 (SET)

Papyrus Modern Fantasy

한길 현대 판타지 장편소설

회귀 경찰의

리셋 라이프

II

PAPYRUS
파피루스

1장. 경찰의 날

경찰의 날

　햇빛이 쨍쨍 내리쬐는 안양의 한 주택가 골목.

　목에 문신이 있는 남자가 비비 꼬인 분홍색 하드를 빨며 슬리퍼를 찍찍 끈다.

　"아, 겁나 덥네."

　이럴 땐 시원한 계곡에 놀러가 계곡물에 담가 놓은 수박을 안주 삼아 시원한 맥주 한잔 마셔야 하는데 아쉽게도 수중에 돈이 없다.

　부다당!

　"휘유! 야, 어디 다방이냐!"

　오토바이 뒤에 탄 헐벗은 옷차림의 다방 아가씨를 보며 휘파람을 불었던 그는 아가씨가 치켜드는 중지에 킬킬 웃으며 다시 가던 길을 갔다.

　"개 같은 년."

돈이 생기면 꼭 부르고 말리라 다짐하던 그는 돌연 한숨을 내뱉었다.

"그놈의 씨발 행복의 쉼턴지 뭔지 때문에 애들을 수급할 수가 없네."

지금 이 순간에도 대한민국에선 수많은 가출 청소년이 발생하는데, 그들 대부분이 행복의 쉼터로 향한다. 때문에 서울에서 도망친 지 벌써 3일이 지났건만 가출 소녀를 구할 수가 없다.

"이 새끼는 애들을 좀 구했을지 모르겠네. 그 똥개 새끼처럼 말 잘 듣는 년이면 좋을 텐데…… 쯧. 뭐 어떻게든 되겠지."

어차피 하루 사는 인생, 오늘 풀리지 않으면 내일 풀릴 거다.

그런 낙천적인 생각을 하며 그가 도착한 곳은 골목에서도 골목에 숨겨진 허름한 3층 원룸 건물이었다.

보증금 100에 월세 15만 원.

현재 그의 처지엔 감지덕지한 곳이었다.

딱! 딱!

발바닥에 부딪치는 슬리퍼 운율을 박자 삼아 꼭대기 층까지 올라간 그는 콧노래를 부르며 생각 없이 문을 열었다가 그대로 굳어 버렸다. 집 안을 가득 채우는 똥냄새 때문이 아니다.

분명 지금쯤 알바를 하고 있어야 할 노랑머리가 방 중앙에서 방바닥에 대가리를 박은 채 엉덩이를 쳐들고 있었고, 그 위에 저승사자 한 마리가 걸터앉아 있다.

뭘 어떻게 맞았는지 다리 하나가 이상한 방향으로 꺾여 있는 노란머리.

"기껏 도망친 곳이 여기냐? 좀 멀리 도망치지."

"여, 여길 어떻게……."

"잘. 뭐하냐? 안 들어오고."

"……씨발!"

다급히 돌아섰던 그는 절망했다.

자신이 올라온 계단에서 사람 두 명이 걸어 올라오고 있었기 때문이다. 이쪽을 보며 비릿하게 웃는 게 딱 봐도 저승사자다.

사내는 자신도 모르게 난간 밖을 봤다.

그때였다.

덥썩!

"악!"

머리채가 잡혀 고개가 꺾인 사내.

종혁은 그런 그를 무심하게 쳐다봤다.

"왜? 뛰어내리게? 그것도 나쁘지 않겠네. 그냥 뛰어내리자."

섬뜩!

"혀, 형님!"

"3층이니까 크게 다치진 않을 거야."

"사, 살……."

종혁은 말을 다 듣지 않고 그를 밑에 주차시켜 놓은 자신의 차를 향해 던져 버렸다.

"으아아아아아악!"

콰아앙!

"……끄으으으."

"봐, 크게 안 다쳤지?"

담배를 문 종혁은 얼어붙은 최재수와 한숨을 푹푹 내쉬는 오택수를 지나쳐 걸어 내려가 놈의 머리채를 잡아끌었다.

그리고 다시 계단 위로 끌고 올라갔다.

"아악! 아아악!"

머리가 뽑히는 것 같은 고통에 비명을 지르는 그.

"내가 네 강아지 새끼들은 십대라서 정말 손만 대고 말았거든? 근데 넌 삼십대잖아. 좀 맞자."

"사, 살려, 누가 살려……."

쿠웅! 달칵!

—아악! 아아아악!

최재수와 오택수가 그 문 앞을 지키며 담배를 물었다.

"저래도 괜찮을까요. 이번에 또 징계 받으셨잖아요. 애를 유리창에 던져 버려서."

"몰라. 지가 알아서 하겠지."

그래도 속은 시원했다.

'내 몫도 있으면 좋으련만…….'

"야, 담배 못 보던 거다? 새로 나온 거야?"

"아, 저도 여자 동기들 때문에 사 본 건데 펴 보실래요?"

"레…… 존? 곽이 뺄건 게 외국 담배야? 줘 봐."

아직 더위가 가시려면 먼 한여름, 두 형사의 담배 연기가 하늘로 흩어졌다.

* * *

목에 문신이 있는 사내는 종혁의 어루만짐에 조상구 선생님과 원만하게 합의를 보기로 했다.

다만 특수상해는 중범죄이기에 신고까지 접수된 상태에서는 합의를 하더라도 처벌이 감면될 뿐 아예 처벌을 면할 수는 없었다.

대신 종혁이 실력 있는 변호사를 붙여 줬고, 홍익파출소 경찰들도 탄원서를 써 줬기에 아마 집행유예로 끝날 확률이 90퍼센트 이상이었다.

"감사합니다."

화창하게 맑은 날. 구겨지고 땀에 절어 있던 양복을 세탁하고, 이발과 면도까지 한 조상구 선생님이 수영의 손을 잡은 채 허리를 숙인다.

눈에 독기가 다 빠져 이제야 선생님처럼 보이는 그의 선하고 말쑥한 모습에, 홍익파출소 사람들과 연예인, 제작진이 흐뭇이 웃는다.

"정말 안 데려다 드려도 되겠습니까?"

수영은 결국 다시 특수학교로 보내지게 됐다. 안타깝지만 치매에 걸린 박 씨 할아버지는 수영의 보호자가 될 수 없었다.

걱정을 하는 종혁의 모습에 조상구는 손을 저었다.

"아이구, 그렇게까지 폐를 끼칠 수 있나요."

푸근히 웃으며 거절하는 그의 모습에 종혁은 어쩔 수 없다는 듯 고개를 저었다.

"판결이 난 이후엔 어떻게 하실 생각이십니까? 계획은 있으십니까?"

"뭐, 학교에 복귀할 수 있도록 노력해 봐야죠. 안 된다고 해도 이 나이에 입에 풀칠할 곳이 없겠습니까?"

"선생님……."

수영을 찾기 위해 휴직계를 냈지만, 반려되어 결국 퇴직계를 내 버린 조상구 선생님.

"선생님, 선생님은 제가 본 모든 스승 중에 가장 참다운 분이십니다. 존경합니다."

"어이구. 어이구."

"그럼 조심히 들어가십시오."

조상구도 고마웠다며 허리를 숙였다.

"수영이도 잘 가라."

"헤헤. 빠빠, 아저씨."

"흑! 수영아 잘 가! 언니 잊으면 안 돼!"

"잘살아야 된다, 수영아! 아저씨가 응원할게!"

"빠빠!"

하늘을 울리는 해맑은 목소리.

조상구의 손에 이끌려 멀어지면서도 계속 손을 흔드는

수영의 모습에 눈시울을 붉히던 그들은 이내 서로를 보며 웃었다.

짜악!

종혁은 자신을 보는 사람들을 향해 활짝 웃으며 옆의 장철호 소장의 등을 떠밀었다.

"에이, 씨불놈. 자! 업무 시작하자!"

"예!"

그렇게 오늘도 홍익파출소의 하루가 시작되었다.

-코드 투! 코드 투!

"에휴. 저흰 출동하겠습니다."

언제나 똑같은 하루였다.

* * *

이후 촬영은 원만하게 진행됐다.

박성아와 이인영은 거듭되는 슬픈 상황과 힘든 상황에 하루에도 몇 번씩 눈물을 쏟아 냈고, 이는 스카이들도 마찬가지였다.

그렇게 3주의 시간이 흐르며 촬영이 모두 종료됐다.

"그동안 모두 수고하셨습니다."

종혁의 정중한 인사에 연예인들이 복잡미묘한 표정을 지었다.

이제 더 이상 그 힘든 파출소에 나가지 않아서 시원하기는 한데, 그 짧은 사이 정이 든 그곳에 가지 못한다 생각하니 섭섭한 시원섭섭한 감정이었다.

그래도 자신들의 주위에 어려운 사람들이 수없이 많다는 것과 촬영 마지막 날 파출소 경찰들이 열어 준 조촐한 파티는 시간이 지나도 결코 잊지 못할 것이다.

112 신고센터에 찾아가 신고가 어떻게 이뤄지고, 신고 내용이 어떻게 전달되는지를 확인한 경험도 잊지 못할 경험이었다.

"대결 결과는 추후 제작진이 들고 찾아뵐 것이며…….."

스윽.

레전드 혼성그룹 캐니스의 여성 멤버와 박성아가 손을 든다.

"네, 말씀하십시오."

"힘든 분들을 따로 도울 방법이 없을까요?"

박성아가 말을 하자 캐니스의 여성 멤버, 아니 다른 연예인들 전부가 고개를 끄덕인다.

누군가는 그들을 두고 떠나야 한다는 게 마음에 걸리는 건지 눈시울마저 붉힌다.

종혁은 그런 그들의 인간적인 모습에 푸근히 웃었다.

"그 부분은 차후 이번 프로그램이 방영되면 경찰청 홈페이지와 방송국 홈페이지를 통해 단기 및 장기 후원을 할 수 있도록 할 예정입니다."

종혁은 최재수를 바라봤고, 그는 얼른 들고 있던 서류를 그들에게 한 부씩 나눠 줬다.

"현재 가출 청소년 및 소년소녀 가장, 독거노인들을 지원하는 행복의 쉼터 재단과 고르고 고른 몇 개의 사회복지 재단이 맡아서 해 줄 예정입니다."

"아, 나 여기 알아!"

"나도 본 것 같아. 여기 건물 엄청 크던데?"

"저기, 저희가 따로 개인적으로 지원을 해도 되는 건가요?"

"예. 오히려 그래 주시면 감사하죠. 주위 지인들께도 동참해 달라 팍팍 졸라 주십시오."

"하하."

연예인들의 표정이 누그러지자 종혁은 입을 열었다.

"그럼 더 질문 있으신 분 계십니까?"

서로를 바라본 그들은 고개를 저었고, 종혁은 단상에서 빠져나와 허리를 숙였다.

"그럼 경찰의 날 행사 때 다시 뵙겠습니다. 수고하셨습니다."

"와아아아아아!"

짝짝짝짝짝!

연예인들은 만족스런 미소를 지으며 소회의실을 빠져나갔고, 종혁은 한숨을 폭 내쉬었다.

"이야, 드디어 다 끝났네요."

"끝나긴 무슨."

네 시간 뒤엔 이택문 경찰청장을 비롯한 최고위 간부들과의 프레젠테이션이 잡혀 있다.

바디캠 등 신문물의 현장 테스트 평가 때문이다.

"아니, 이런 건 기획조정이나 정보화장비 쪽에서 해야

되는 거 아니냐?"

"안 그래도 그분들도 오시기로 했습니다."

효용성이 있다 판단되면 그쪽에서 업무를 가져가기로
했다.

어떻게든 정착시키려는 종혁과 아직은 이른 게 아니냐
는 찬반 여론으로 떠들썩한 상부. 아마 꽤 치열할 것이다.

"……어, 수고해라."

"수고하긴 뭘 수고해요. 오 경위님도 같이 들어가야 합
니다."

"내가 왜!"

"새로 개설된 실시간 신고 전달 시스템을 가장 많이 이
용한 게 오 경위님이잖아요. 센터장님들도 오실 예정입
니다."

연예인들과 형사들의 경찰과 도둑.

덕분에 긴박한 연출을 위해 112 신고센터에도 제작진
이 파견되었다.

"씨발! 아무리 본청이라지만 고위 간부들을 너무 많이
만나잖아!"

"그런 간부들에게 눈도장 찍으니까 좋죠."

"맞습니다, 팀장님!"

"……너흰 대체 언제 그렇게 짝짜꿍한 거냐?"

본청에 데려온 은혜를 벌써 잊어버린 최재수 때문에 더
환장할 노릇이었다.

키득키득 웃으며 회의실을 나서던 종혁은 문 앞에서 기

다리고 있는 박성아의 모습에 눈을 껌뻑였다.

"큭큭. 먼저 간다."

"저도 먼저 갑니다."

둘이 음흉한 미소를 지으며 떠나자 종혁은 볼을 긁었다.

"하실 말이라도 있습니까?"

"……감사하다는 인사를 드리기 위해 왔어요."

종혁은 알까.

자신이 얼마나 감사한지.

자신이 종혁에게 얼마나…….

"감사 인사요? 흠. 그럴 만한 게 있었는지 모르겠지만…… 네, 알겠습니다. 저도 감사합니다. 그렇게 고생하셨는데 참고 견뎌 줘서."

"아."

"그럼 이만."

"네?"

박성아는 매정히 돌아서는 종혁을 보며 당황했다.

오늘을 위해 대체 얼마나 용기를 냈던가.

"아, 아니…… 저, 저기요!"

박성아는 다급히 종혁을 잡았지만, 종혁은 무시하며 걸음을 재촉했다.

'미안합니다. 난 연상 취향이라.'

나탈리아 같은 사람이 딱 취향이다.

"야아―!"

복도를 꿰뚫는 외침.

씩씩거리던 박성아는 울상을 지었다.

"이게 뭐야…… 씨이. 경찰의 날 행사 때 보자."

그땐 절대 벗어나지 못할 것이다.

그녀는 그런 다짐을 하며 본청 건물을 빠져나갔고, 경찰 이미지 마케팅과로 돌아온 종혁은 미간을 좁혔다.

'흠. 그냥 떨어트릴까?'

"흐흐. 어땠어? 고백하디?"

"사귀기로 했어요? 와, 존나 부러워."

"……그래. 그건 일단 이 인간들부터 어떻게 하고 생각하자."

"응?"

"나랑 아옹다옹 좀 합시다."

뚜두둑.

손가락을 풀며 일어서는 종혁의 모습에 오택수와 최재수는 누가 먼저라고 할 것 없이 사무실 밖을 향해 몸을 날렸다.

"거기서, 이 화상들아!"

이번엔 종혁의 외침이 복도를 꿰뚫었다.

* * *

아쉽게도 현장 테스트 평가에 대한 프레젠테이션은 결말을 짓지 못한 채 끝났다.

대중들과 현직 경찰들의 반응까지 살핀 후에 다시 논의

하자며 뒤로 미뤄진 것이다.

한두 푼 드는 일이 아니기에 종혁도 강력히 밀어붙이지 못하고 한발 물러섰다. 일단 긍정적으로 받아들이는 것 같기에 다행이라고 위안하며 말이다.

그렇게 더위가 한풀 꺾인 9월의 중순.

종혁은 법원 앞에 나와 있었다.

"이번 종합주가지수 상승에 대해 어떻게 생각하십니까?"

-1200선 돌파 말입니까? 흠. 당장은 힘들지 않겠습니까?

-그거 무조건 될걸요?

박태규와 권아영이 다른 대답을 한다.

"호, 그래요?"

-네. 백이라는 숫자는 상징성이 있으니까요.

올 2월, 3년 만에 다시 천 포인트를 돌파 한 종합주가지수는 이후 무섭도록 치솟고 있다.

만약 이번에 1200선을 돌파하면 약 22년 만에 돌파하는 거라서 수많은 사람들이 단단히 벼르고 있을 터. 1200이란 숫자에 근접을 하게 되면 아마 멱살을 잡아서라도 끌어올릴 것이다.

실제로도 그런 움직임을 보이고 있었다.

-이러는데 주식을 한다는 사람이…….

-하아. 내가 언제 안 오른다고 했습니까? 당장은, 이번 달 안에는 힘들 수도 있다고 했지?

-뭐라고요?! 와, 이 사람 또 말 바꾸는 거 봐?

-또? 또오? 내가 언제 말을 바꿨습니까!

"네네. 사랑싸움은 전화 끊은 뒤에 하시고요. 이번 1200선 돌파가 상징적인 의미를 가지고 있으니 추후 변화를 잘 살펴 주세요."

억지로 끌어올려지는 거라면 분명 어떤 부작용을 야기할 터.

제법 재미를 볼 수 있을 것이다.

"삼전 등 핸드폰 제조사에 대한 주식 매입도 계속 진행해 주시고요."

CDMA 해킹 발언으로 인해 가치가 폭락한 보물이다. 시간이 지나면 다시 원래의 가치를 회복하다 못해 천장을 뚫을 보물.

이럴 때 쓸어 담아야 했다. 언젠가 유용하게 쓸 때를 대비해서 말이다.

-큼. 네, 알겠습니다.

-이봐요. 왜 사랑싸움이라는 부분에서 반박 안 해요?

-이젠 하기도 귀찮습니다.

-뭐라고요? 야! 내가 귀찮아?!

종혁은 다시 싸우기 시작한 둘에 한숨을 폭 내쉬었다.

전화를 끊어 버린 그는 담배를 물었다.

"근데 이놈은 왜 이렇게 안 나와? 벌써 최종 선고가 떨어지고 남았을 시간인데?"

"혀엉-!"

종혁은 해맑게 미소로 손을 흔들며 달려오는 고영광의 모습에 엉덩이를 기대고 있던 차창을 통통 두드렸다.

그러자 순철이 기지개를 펴며 내린다.

"헉! 헉! 여기까지 왜 오셨어요. 힘들게! 아, 아니 감사합니다! 정말 감사합니다!"

"가, 감사합니다-!"

영광은 허리를 넙죽 숙였고, 다른 해킹범들도 우물쭈물하며 허리를 숙였다. 찔리는 게 있는 사람이 많아서 제대로 공론화조차 되지 못한 채 묻혀 버린 세진은행 해킹 사건.

이들에 대한 판결은 '해킹이라는 중대한 범죄에 가담했지만 의도적이지 않았다는 점과 모두 진실로 반성을 하고 있는 바 징역 1년, 집행유예 2년에 처한다'였다.

영광은 청소년이라 사회봉사 20시간의 3호 처분을 받았다.

즉, 이들은 현 시간부로 다시 사회로 복귀할 수 있단 소리였다.

"됐어, 인마."

손을 저은 종혁은 사 온 모두부를 내밀었다.

"이거 먹고 다신 이런 데 오지 마라."

"……훌쩍. 네. 맛없어……."

간장 없는 모두부는 먹기가 힘들었지만, 그들은 어떻게든 꾸역꾸역 다 먹었다.

"그런데 형 옆에 계신 분은……."

종혁은 순철의 등을 떠밀었다.

"한번 보고 싶다고 조르더라고."

"제가 언제?!"

펄쩍 뛰었던 순철은 이내 머리를 긁었다.

"이렇게 모니터 밖에서 보는 건 처음이지요? 나 노스
캡틴 리순철입네다. 이렇게 면상들을 마주하니 참으로
반갑습네다."

"……에엑?!"

"진짜 북한 사람이었어요?!"

"세터민이라고 불러 주시라요."

잠시 혼란의 도가니가 펼쳐졌다.

사건이 부산청으로 옮겨졌는지라 재판도 부산에서 받
게 된 그들은 돼지국밥과 동래파전을 푸짐하게 먹은 후,
광안리에 콘도를 잡아 한발 늦은 여름 피서를 즐기기 시
작했다.

그 짧은 시간 동안 대체 얼마나 뛰어논 건지 불판 위
조개를 익히는 숯불처럼 전신이 빨갛게 달아오른 그들.

거나하게 들어간 술 때문에 아예 불이 나는 것 같다.

종혁은 소주 석 잔에 헤롱거리는 영광의 잔에 맥주를
따라 주며 입을 열었다.

"이제 올라가면 절차를 밟게 될 거야. 네 법적대리인
지정 절차부터 말이야."

"혀엉…….."

이 은혜를 대체 어떻게 갚을 수 있을까.

"울면 놓고 간다."

"큽!"

다급히 코를 삼킨 영광은 고개를 꾸벅 숙였다.

"정말 감사합니다."

영광은 머리를 쓰다듬는 투박하면서도 따뜻한 손길에 왠지 어색해져 얼른 화제를 돌렸다.

"그럼 형은요? 형은 올라가면 다시 또 출근하시는 거예요?"

"아니."

"네? 그럼요?"

"유도 연습해야 돼."

"……?"

경찰의 날에 열리는 유도 대회.

이택문 경찰청장과 고위 간부들은 그 유도 대회에 종혁의 출전을 명령했다.

'아니, 애들 노는데 어른을 끼워 넣으면 어쩌자는 건데?'

그래서 작년 경찰의 날 때도 참가를 안 하지 않았던가.

"돌겠네, 진짜."

"형?"

"아니, 아니야. 음?"

고개를 젓던 종혁은 포장마차의 천막을 걷으며 들어오는 오십대 장년인을 발견하곤 낯빛을 딱딱하게 굳혔다.

뚜벅뚜벅. 턱!

"날 아는 것 같군."

속으로 한숨을 내쉰 종혁은 몸을 일으켜 거수경례를 했다.

"충성. 본청 경찰 이미지 마케팅과의 최종혁 경감입니다."

"그래. 부산청장 박종명일세."

그랬다. 그는 부산경찰청장 박종명, 종혁에겐 악연이

라고 할 수 있는 인물이었다.

그는 종혁의 일행들을 주욱 훑어보곤 다시 종혁을 봤다.

"별다른 일은 없는 것 같은데, 잠시 이야기 좀 할까?"

'쯧.'

"먹고 있어."

종혁은 대답도 듣지 않은 채 돌아서는 박종명의 뒤를 따라갔다.

＊　＊　＊

쏴아아! 쏴아아!

갈매기 소리 대신 파도 소리만 가득 울리는 광안리의 해변가.

종혁은 박종명이 내미는 담배를 받아 들었다.

찰칵! 치이익!

타들어 가는 담배를 느긋이 빨며 걷던 박종명이 입을 열었을 때는 광안리 해변의 끝에 다다랐을 즈음이었다.

"이야기는 많이 들었어."

"……감사합니다."

"이번 세진은행 해킹 사건도 최 경감의 작품이라지?"

올 게 왔다.

그가 등장하면서부터 떠올린 주제가 나오자 종혁은 속으로 낯빛을 굳혔다. 하지만 겉으론 어수룩하게 웃으며 머리를 긁적였다.

"운이 좋았습니다. 친한 형 집에 놀러 갔다가……."

"좀도둑을 발견해서 제압했다지?"

'좀도둑…… 그렇게 묻기로 한 건가?'

종혁의 머릿속이 차가워진다.

"아, 그렇습니까? 와, 요새 좀도둑 무섭네요. 군용대검이랑 카람빗도 쓰고."

"흠. 뒷이야기에 대해 모르는 건가?"

"예. 피의자들이 부산 출신이라 부산청으로 넘어가게 됐다는 건 알고 있지만, 저도 일이 바쁘다 보니 신경을 쓰지 못했습니다. 그저 피해자들이 아는 사이라 걔들만 신경 썼죠."

"그런가?"

안경 속에 가려진 박종명의 뱀눈이 종혁의 얼굴을 훑는다.

"부산청장님?"

"자네가 붙잡은 놈들이 살인 청부를 받은 흥신소였다더군."

"네? 대체 누가 살인 청부를……. 혹시 용의자는 나왔습니까?"

"아니, 아직. 한데 무기에 대해 잘 아는군."

"경찰대에서 다 가르쳐 줍니다, 하하. 아, 죄송합니다."

박종명은 경찰대 출신이 아니라 중앙경찰학교 출신이다.

커리어만 보면 밑바닥에서부터 시작해 부산청장이라는 높은 곳까지 도달한 엄청난 실력자라고 볼 수 있다.

실제로 회귀 전 박종명 부산청장은 다음 정부에서 경찰

청장이 될 만큼 입지적인 인물이다.

"……상처가 깊었다고 하던데, 어디 볼 수 있겠나?"

"아하하. 보기 흉하실 텐데……."

그러며 종혁은 셔츠를 들어 흉터를 보여 줬고, 박종명은 옆구리 흉터를 조심스럽게 매만졌다.

"부, 부산청장님?"

"많이 아팠겠군."

"아, 아닙니다. 별로 아프지 않았습니다."

"미안하군. 우리 상부가 현장 형사들의 고충을 더 알아 줘야 하는데 말이야."

"예?"

"앞으로도 열심히 해. 우리 부산청도 한번 생각해 보고."

툭툭 어깨를 두드린 박종명은 도로가로 걸어갔고, 종혁은 정말 가 버린 그의 모습을 빤히 보다 돌아서며 혀를 내둘렀다.

"이야. 대체 그 몇 마디 대화 사이에 함정을 몇 개나 파 놓은 거냐."

종혁이 세진은행 사건에 대해 얼마나 아는지에 대한 함정이었다. 여기에 수작까지 부렸다.

어린 경찰을 다독여 감동시키면서 경찰 개혁에 앞장서 겠다는 뜻을 은근히 비쳤다.

부산청장이라는 높은 사람이 관심을 가져 주는데 그 어떤 경찰이 진정할 수 있을까. 종혁이 그저 그런 경찰이었다면 홀랑 반해 버렸을지도 몰랐다.

혓바닥이 그 뱀눈처럼 뱀 같은 사람이었다.

"그런데 정말 왜 온 거야? 꼴랑 이거 확인하려고?"

종혁은 담배를 물며 고개를 모로 기울였고, 그 순간 그의 핸드폰이 울었다.

-소릴 높여 봐. 더 크게 외쳐 봐.

"예, 최종혁입니다."

-저예요.

나탈리아다.

-50미터 밖에서 최를 찍고 있는 애들을 발견했다는데 어떻게 할까요?

"……푸하핫! 뭐야, 이거였어?"

-최?

"아, 쫓지 않아도 될 것 같습니다. 누가 붙였는지 알 것 같거든요."

-아, 그런 거였나요?

나탈리아는 나지막하게 웃었다.

-참 재밌는 사람이네요.

"그러니까요. 아무튼 그런 재미없는 이야기는 그만두고, 어디예요? 술이나 한잔 하시죠?

-흐응. 지금 서울에 있는 사람보고 부산까지 오라는 건가요? 이건 매너가 좀 아닌데요?

"음. 조개가 아주 맛있는데 말이죠."

종혁은 그렇게 통화를 하며 포장마차로 향했고, 사박사

박 모래가 뭉개지는 소리는 곧 파도 소리에 묻혀 사라져 버렸다.

* * *

1박 2일의 짧은 휴가를 마친 종혁은 출근을 하자마자 호출한 이택문을 찾아갔다.

"충성. 부르셔서 왔습니다."

"……그 다크 드래곤 암즈와 잘 놀았나 보군."

"염려해 주신 덕분에 잘 놀고 왔습니다. 막판에 박종명 부산청장님을 만나지 않았다면 말입니다."

움찔!

종혁은 이쪽을 빤히 보는 이택문을 향해 싱긋 웃어 줬다.

"여기 커피 두 잔."

수화기를 내려놓은 이택문은 밑에서 꺼낸 사진들을 종혁을 향해 던졌다.

"오늘 아침에 배달이 왔더군. 보낸 사람은 불명으로."

종혁과 나란히 해변가를 걷는 모습, 종혁을 보며 푸근히 웃는 모습, 종혁의 옆구리 흉터를 살피는 모습.

사진만 보면 종혁과 박종명이 아주 친하다고 오해할 정도다.

'내 이럴 줄 알았다.'

박종명이 사진을 왜 이런 사진을 찍었겠는가.

무려 경찰청장과 일개 간부임에도 부하가 다쳤다고 문

병을 올 만큼 깊은 관계에 금을 내기 위해서다.

종혁이 먼저 말을 꺼내지 않았어도 이택문이었다면 먼저 물었을 터. 알아도 속으로 끙끙 앓을 최기룡 전 경찰청장과 달리, 이택문은 굉장히 직설적인 성격을 가지고 있었다.

"이야, 전문가를 고용 했나 본데요?"

"읊어 봐."

"급하십니까?"

"쯧."

종혁은 사진을 정리해 다시 넘겨주었고, 이윽고 커피가 들어오자 커피를 홀짝였다.

그러다 뚫어져라 쳐다보는 이택문의 시선에 결국 입을 열었다.

"영광이들과 술을 마시는데 찾아오더군요."

종혁은 단 하나도 숨기지 않고 다 말했고, 모두 다 들은 이택문은 입술을 비틀었다.

"좀도둑? 흥신소?"

"그쪽으로 묻으려고 하는 것 같습니다."

"결국 미제로 끌고 가겠단 소리군."

아니면 가짜 범인을 잡아넣어 사건을 종결시킬 수도 있다.

종혁도 같은 생각이라는 듯 고개를 끄덕였다.

"그보다 압력을 넣으신 양반들은 좀 어떻습니까? 뭐 좀 나왔습니까?"

"흠. 아직."

"……하긴 그만한 권력을 가진 양반들이 쉽게 허점을 드러내진 않겠죠."

더욱이 얼마 전 정보통신부 장관이 CDMA 방식의 핸드폰, 즉 지금 온 국민이 쓰는 핸드폰도 해킹이 가능하다는 양심선언을 했다.

안 그래도 복사폰 문제가 슬금슬금 기어 나오고 있었는데, 이 선언이 치명타를 가하면서 핸드폰 제조사들과 통신사의 주가가 곤두박질쳤다.

'박노형 대통령이 삼전 죽이기에 나선 건가?'

얼마 전 삼전의 정경유착 사건부터 이번 일까지 삼전그룹에 악재만 생기고 있었다.

'대체 뭘 어떻게 밉보였기에. 쯧쯧.'

아무튼 이런 이유 때문에 더 조심하고 있을 터. 아무래도 당분간은 가만히 지켜보는 일 말곤 할 게 없을 듯했다.

"알겠습니다. 그럼 더 하실 말씀 없으시면 이만 일어나겠습니다."

"오락 프로그램들은?"

"사흘 뒤 가편집본을 받기로 했습니다. 경찰의 날 행사 준비도 착착 진행 중입니다."

고개를 끄덕인 이택문은 다시 뚱한 표정으로 돌아가 손을 저었고, 종혁은 거수경례를 하며 돌아섰다.

"유도 기대하지."

종혁은 와락 얼굴을 구기며 경찰청장실을 나섰다.

* * *

어느덧 무더웠던 여름도 다 가고, 말이 살찌는 계절인 가을이 됐다.

사람들은 사방을 물들이는 단풍을 쫓아 나들이를 갔지만, 경찰들은 경찰의 날이라는 중요한 행사를 맞아 한자리에 모였다.

우글우글, 와글와글.

"좌충우돌 파출소 생활기 보셨습니까?"

"와 제대로 찍었던데?"

"난 본청에서 한다기에 얼마나 재밌을까 했는데, 재밌데?"

"저번 주 토요일 X맨 봤어? 거기 나온 애가 우리 서 애야!"

"홍보단에 차출된 애들이 있던 부서에 상여금 내려갔다면서?"

유도 대회, 사격 대회를 위해 각지에서 차출된 선수들과 응원단, 고위 간부들까지 천여 명의 경찰이 행사장을 가득 채우고 있다.

그런 그들의 대화 주제는 2주 전부터 방영을 한 예능 프로그램들이었다.

본청에서 예능을 찍는다기에 또 상부가 예산을 함부로 쓴다며 혀를 찼던 경찰들은 결과물을 보자 생각을 달리할 수밖에 없었다.

파출소 생활을 심도 깊게 다루면서도 웃음과 감동을 주

는 '좌충우돌 파출소 생활기'.

저런 게 있었냐며 현직 경찰들도 놀라게 한 '돈을 갖고 튀어라'.

이 외에도 경찰 홍보단의 이름을 제대로 알린 'X맨'이나 '스타퀴즈 골든벨' 등 방송국 3사 대표 예능들까지.

정말 경찰은 저렇게 일하냐며 사방에서 걸려오는 전화에 지난 2주 동안 어깨가 으쓱해졌던 경찰들이었다.

단상 뒤에서 그런 그들의 반응을 살피던 종혁은 입술을 비틀었다.

온통 칭찬 일색이니 기쁘지 않을 리가 없었다.

"아, 최 팀장. 여기 있었군."

"충성."

홍보담당관과 다른 고위 간부들이 다가온다.

그리고 어깨를 두드린다.

"잘했어!"

"역시 최 팀장이야. 젊은 게 무색할 정도로 능력이 좋아!"

"하하. 감사합니다."

처음엔 미심쩍어 했던 그들의 얼굴엔 흡족함만 가득하다.

그에 종혁의 미소도 더욱 짙어진다.

"모두 팀원들이 각자의 자리에서 열심히 일해 준 결과입니다."

"허허. 벌써 부하들에게 공을 돌릴 줄도 아나?"

"진실로 이들이 아니었다면 이런 결과가 나오지 않았을 겁니다."

종혁이 경찰 이미지 마케팅과의 팀원들을 가리켰고, 안 그래도 고위 간부의 등장에 얼어붙어 있던 그들은 아예 각목처럼 단단해졌다.

그런 그들과 종혁을 의미심장한 눈으로 번갈아 본 고위 간부들은 미소를 지으며 팀원들의 어깨를 두드렸다.

"그래. 자네도 수고했네."

탁탁!

"경장 박동수!"

"경장 최재수!"

"그래그래. 앞으로도 기대하지. 거기 경찰 홍보단도. 아, 내가 약속한 건 오늘 행사가 끝나면 모두 지급될 예정이야."

"충-성!"

인사고과, 특진 포인트, 상여금.

3종 세트에 경찰 홍보단은 목이 터져라 외쳤다.

"경찰 이미지 마케팅과도 기대해."

"추웅-서엉-!"

히죽 웃은 홍보담당관은 종혁을 봤다.

"최 경감은 잠시 우리 좀 보지."

"예."

종혁은 따라나서기 전 최재수를 봤다.

"나 없는 동안 인수인계 잘하고, 사고 치지 말고."

"아니……."

최재수가 멀어지는 고위 간부들을 힐끔 보며 입을 연다.

"솔직히 이번 경찰의 날 행사는 저희가 담당해야 되는 거 아닙니까? 저희가 해 준 게 얼만데."

그 말에 다른 팀원들의 낯빛도 흐려진다.

지난 2주간 방영된 예능 덕분에 방송 3사까지 촬영을 오면서 더 주목을 받게 된 경찰의 날 행사다.

이건 자신들이 진행하는 게 맞았다.

"앞으로 매해 경찰의 날 행사 진행을 네가 할 거면 그렇게 해 보든가. 내가 어떻게든 뺏어 올 테니까."

"아."

종혁은 그제야 문제점을 깨닫는 최재수의 모습에 한숨을 푹 내쉬었다.

"하아. 우리 감당 못할 일은 벌이지 말자. 안 그래도 업무에 치여 죽겠구만…… 쯧. 간다."

"추, 충성! 다녀오십시오."

손을 흔들며 걸음을 옮긴 종혁은 한곳에 모여 담배를 피우고 있는 간부들에게로 향했다.

"죄송합니다. 늦었습니다."

"아냐, 아냐."

괜찮다며 손을 젓던 고위 간부들은 종혁을 보며 풀썩 웃었다.

"결국 최 경감 생각대로 됐더군."

종혁은 눈을 빛냈다.

"그럼……"

"그래. 바디캠 외 이번 촬영에서 쓰인 모든 첨단 기기와 시스템 전체를 업무에 적용시키기로 하지."

"충성!"

단 하나도 빠짐없이 다 통과됐다는 것에 종혁의 전신이 저릿저릿 울렸다.

"다만 일단은 파출소에만 적용시킬 거야. 형사들에게 는 당장은 좀……."

강력범죄자들을 잡다보면 언제 어떤 위급한 상황이 터 질지 모르고, 이때 바디캠이 심리적으로 제동을 걸 수 있 다. 형사들은 이런 이유를 들먹이며 반발을 하고 있었다.

시퍼런 사시미가 찔러 오고, 쇠파이프 망치가 몸을 부 수려 드는데 묵사발을 내지 않을 형사가 어디 있겠는가.

그런 상황에서 바디캠이 발목을 잡으면 형사가 다칠 수 있다.

이런 그들의 말에 종혁은 인정한다는 듯 고개를 끄덕였다.

"그래서 처음 프레젠테이션 때 말씀드렸다시피 매뉴얼 이 만들어질 필요성이 있는 겁니다. 바디캠이 오히려 역 효과를 불러일으키지 않도록 제도적, 법률적인 장치를 말입니다."

"흠."

"또한 그를 원활하게 돕기 위해 장기 프로젝트를 진행 중입니다."

"음? 아……!"

고위 간부들은 예전 종혁이 한 프레젠테이션 내용을 떠 올리곤 눈을 크게 떴다.

"예. 영화와 드라마, 또 언론을 통해 그에 대한 부분을 계속 언급할 예정입니다."

영화와 드라마, 언론 등에서 바디캠의 좋은 사례들을 계속해서 보여 준다면, 대중들이 바디캠을 바라보는 시각은 우호적이 될 수밖에 없을 터.

그렇다면 형사들도 조금은 부담없이 당당하게 바디캠을 사용할 수 있을 것이다.

"……푸하하하핫!"

"하하하하핫!"

거기까지 종혁이 미리 생각하고 있었다는 사실에 감탄하며 한바탕 웃음을 터트린 그들은 종혁의 어깨를 두드렸다.

"지금까지 수고했고, 앞으로도 수고해 줘. 우리가 시간을 너무 뺏은 것 같군. 우리끼리 할 이야기가 있으니까 그만 가 봐."

"충성."

종혁은 흐뭇한 미소를 지으며 몸을 돌렸다.

그때였다.

"아, 그런데 좌충우돌 파출소 생활기에서 우승한 세 팀은 대체 누구야?"

"그건 축하 무대를 보시면 압니다."

종혁은 다시 일그러지는 그들의 미간에 싱긋 웃었다.

'하아. 그럼 이제 유도 대회를 준비해 볼까?'

하기 싫은데 해야만 하는 일.

종혁은 부디 주제를 모르는 경찰들이 깝치지만 않았으면 하는 작은 소망을 가졌다.

* * *

툭!

오와 열을 맞춰 서 있던 경찰들이 이택문 경찰청장의 말에 입을 떡 벌린다.

—또한 경찰의 날을 맞이해 순직에 대한 규정 범위를 확대 심사할 예정이며…….

방금까지 들은 믿지 못할 말들 가운데 가장 믿지 못할 말인 순직 규정 범위 확대.

'상부가…… 변하고 있다?'

솔직히 예산 증대 및 근무 환경 개선에 힘을 썼던 최기룡 전 경찰청장이 임기를 모두 마치고 물러나자 암울해했었던 그들이다.

이택문 경찰청장이 취임을 하자마자 칼을 뽑아 들며 피바람을 일으켰기에 그럴 수밖에 없었다.

이제 힘들어지겠구나. 좋은 날은 다 갔구나. 다시 원래대로 돌아가겠구나.

하지만 아니었다.

이택문은 이런 걸 준비하고 있었던 거다.

그들의 머릿속에 이택문 경찰청장의 취임사가 스쳐 지나갔다.

경찰의 인권과 공권력 향상에 온 힘을 쏟겠다.

그 말은 진실이었다.

"이, 입에 발린 말이 아니었다니……."

"저, 정말이라니……."

상부가 바뀌고 있었다.

바라고 또 바랐던 모습의 상부처럼. 그 이상향처럼.

그들의 피와 눈시울이 뜨거워지기 시작했다.

—이상으로 축하사를 마칠까 합니다.

—지, 지금까지 이택문 경찰청장님의 축하사였습니다.

"전체에—! 차려엇—!"

척!

"이택문 경찰청장님께 대하여—! 경례—!"

"추우웅 서어엉—!"

—충성. 쉬어.

"우와아아아아아아!"

행사장을 터트려 버릴 듯한 함성.

종혁은 뚱한 얼굴로 자신을 쳐다보는 이택문 경찰청장을 향해 미소를 지어 주었다.

* * *

이택문 경찰청장, 경찰의 날 행사에서 개혁을 외치다.

크게 변화할 경찰. 국민들, 기대해 달라.

취임식 때의 포부를 지킨 경찰청장. 대한민국 범죄자

꼼짝 마!

파격에 가까운 발언. 일부에서 우려의 목소리가.

이택문 경철청장의 연설문이 인터넷을 뜨겁게 달구고
있다.

언론사들은 그동안의 고질적인 문제를 모두 뜯어고치
겠다는 개혁에 가까운 파격발언을 기사로 옮기기 바빴
고, 국민들은 뜬금없이 포털 사이트를 장악하는 기사들
에 경찰들에게 이런 고충이 있었냐며 그 약속이 지켜지
기를 바랐다.

그건 경찰의 날 유도 대회를 위해 체육관에 모인 경찰
들도 마찬가지였다.

"와, 여기도 난리가 아니구나. 난리가 아니야."

"허어. 형님, 핸드폰으로 인터넷도 하십니까? 엄청 부
자셨네요?"

"지금 그게 중요하냐?"

이택문 경찰청장의 파격 발언이 기사로 써졌다.

이젠 정말 빼도 박도 못한다는 소리다.

"이거 취임식 이후 칼춤을 춘 게 이걸 위한 밑밥이었던
거 아니야?"

"와 씨, 그렇게 생각할 수도 있겠는데? 대체 얼마 동안
준비를 한 거야? 그것도 이렇게 감쪽같이!"

"청장이 되기 전부터 벼르고 있었다고 봐야겠지."

"그건 아닐 거야. 내가 본청에 근무하는 지인에게 들은

건데, 이거 어떤 젊은 간부가 입안을 한 거래."

"그게 말이 돼? 젊은 간부가 이걸 기획한다고?"

"그럼 그 엉덩이 무거운 고위 간부들이 했다는 건 말이 되고?"

"……아, 몰라. 난 앞으로 매일 본청을 향해 절할 거야!"

"난 그 간부 찾으면 뽀뽀를 퍼부어 주겠어!"

'입을 다물어야겠네.'

후끈한 열기로 가득한 체육관.

오늘 대회 출전을 위해 참석한 경찰들의 대화를 듣던 종혁은 슬그머니 자리를 옮겨 몸을 풀었다.

뚜둑뚜둑!

오랜만에 유도복을 입고 몸을 풀고 있지만, 여전히 표정이 뚱한 그.

'아무리 생각해도 이해를 할 수가 없네. 청장님은 왜 나를 출전시킨 거지?'

이 대회에 출전해 우승을 해 봤자 종혁이 가져갈 수 있는 거라곤 '유도왕'이라는 타이틀과 소정의 포상금뿐이다.

인사고과와 특진 포인트에 약간의 영향을 줄 순 있지만, 진급의 향방을 결정지을 정도로 큰 점수는 아니다.

즉, 아무런 영양가가 없다는 걸 알고 있을 텐데도 이택 문은 굳이 종혁을 출전시켰다. 그것도 방송국에서 촬영까지 하는 대회에 말이다.

'설마?'

"선배님, 혹시 요 몇 년 동안 본청에서 우승자 안 나왔어요?"

종혁은 본청 소속으로 함께 출전한 경찰을 봤다.

유도 국가대표 상비군 출신에다 경찰대학 출신으로 종혁에겐 무려 9년 선배다. 계급은 경감.

"응? 왜 그렇게 생각하는데?"

"그게 아니면 절 출전시킬 이유가 없을 것 같아서요."

각 지방청에서 선별하고 선별해 출전시킨 선수들을 보니 더 확신이 생긴다. 정확히는 이십대에서 사십대까지 다양한 연령대의 선수들의 몸 상태를 보니 확신이 생기는 것이다.

젊은 이십대들이야 몸이 좋지만, 삼십대 이후부터는 거의 다 똥배가 나온 아저씨들이다.

운동선수들처럼 일부러 찌운 게 아니라 그냥 술배, 나이 배다. 다른 말로 연륜, 나이 먹은 증거.

이런 이들에게 본청이 밟힌 거다.

그래서 자존심 회복을 위해 종혁 본인을 출전시킨 거다.

또 그래서 의문이 든다.

'왜 아무도 나를 신경 안 쓰는 거지?'

종혁 본인은 유도 금메달리스트다.

그런데 여기 있는 선수들 전부 힐끔 보더니 신경을 끈다. 멀리의 누군가는 비웃기까지 한다.

분명 종혁 자신이 누군지 아는 거다. 그럼에도 무시를 한다. 일부러 그러는 게 아니라 정말 신경 쓸 가치가 없다는 듯.

'이건 좀 신선한데?'

처음 전국체전에 출전했을 때 이후로 처음 받는 종류의 시선.

종혁의 입술이 꿈틀거리기 시작했고, 선배 경찰은 한숨을 폭 내쉬었다.

"뭐, 그것도 맞는 말이긴 한데……."

"음?"

웅성웅성!

갑자기 체육관 입구 쪽이 소란스러워지자 고개를 돌렸던 종혁은 가슴을 펴며 들어오는 덩치들에 휘파람을 불었다.

대충 봐도 몸들이 죄다 탄탄해 보이고 제법 위험한 분위기를 풍긴다. 일당백의 전사들이랄까.

종혁은 저런 인적 자원이 있었냐며 눈을 빛냈고, 선배 경찰은 또 왔다며 혀를 찼다.

"쟤들, 스와트 때문이야."

"SWAT? 아, 저 사람들이 경찰특공대예요?"

경찰청 대테러특수부대 SWAT. 훗날 SOU로 이름을 바꾸는 경찰특공대다.

회귀 전 작전을 함께한 적이 제법 있지만 언제나 마스크로 얼굴을 가리고 있어서 누가 누군지 몰랐던 SWAT.

'하긴 맨날 훈련에 훈련을 거듭할 텐데 저런 분위기를 풍길 수밖에 없지.'

일반 형사들과 달리 사람을 죽이는 훈련을 하는 단체이

기에 기질이 남다를 수밖에 없다.

그제야 그들이 풍기는 위험한 분위기의 정체를 알아차린 종혁은 고개를 끄덕이면서도 갸웃했다.

"근데 쟤들이 왜요?"

"쟤들이 상을 독식하니까. 거기다……."

"음?"

"후, 아니다. 좀 이따가 보면 알아."

의아해한 종혁은 이내 고개를 끄덕이며 SWAT들을 응시했다.

분분히 비켜서는 경찰들 사이를 어슬렁어슬렁 걸으며 구석으로 향하는 그들. 마치 백수의 왕 사자 무리와 그런 사자 무리를 경계하는 짐승들을 보는 듯한 광경이다.

"흐음."

'설마 쟤들 때문인가?'

종혁은 눈을 가늘게 떴다.

그러는 사이 대회가 시작되었다.

* * *

"부산 갈매기! 부산 갈매기-!"

"비 내리는 호남선 남행열차에!"

"대전청 파이팅-!"

"이기자! 아자, 아자 강원청-!"

오늘 출전하는 선수들 전부 각 지방청을 대표해서 그런

지 응원의 열기가 뜨겁다.

종혁과 출전 선수를 응원하는 본청 응원단의 열기도 뜨겁다.

"꺄아악! 최종혁 경감님!"

"유민선 경감님 파이팅-!"

다른 지방청들과 달리 여자의 비율이 압도적으로 많은 본청 응원단. 오늘 경기장을 찾은 사람들은 본청 선수들을 향해 부러움과 질투 어린 시선을 보낼 수밖에 없었다.

'누군 시꺼먼 남자들인데, 누군!'

'씨발. 이번에도 죽여 버린다!'

"휘유. 잡아먹히겠는데요?"

"잡아먹히기만 하면 다행이지."

"음?"

"최 경감, 네가 첫 경기였던가?"

"네. SWAT 대원이 제 상대더라고요."

회귀 전까지 통틀어도 단 한 번도 붙지 못했던 SWAT. 선배 경찰은 이들에 대해 안 좋은 반응을 보였지만, 종혁은 어떤 유도를 할까 굉장히 기대가 되었다.

"최 경감, 아니 종혁아. 애들 험하다. 조심해."

"예?"

"힘들면 그냥 기권해도 돼. 그래도 너한테 뭐라 할 사람 없어."

"그게 무슨……."

-본청 소속 최종혁 경감. 최종혁 경감은 출전해 주시

기 바랍니다.

"아, 예!"

종혁은 고개를 갸웃거리며 매트로 향했고, 이윽고 종혁보다 체구가 약간 작은 이십대 후반의 사내가 걸어 나왔다.

* * *

그렇게 무제한 체급 첫 경기가 벌어지기 몇 분 전, 서울경찰청 산하 대테러부대 KNP868 소속인 한 삼십대 남성이 종혁과의 경기를 앞둔 서글서글한 인상의 사내를 부른다.

"주철아."

"예?"

"저놈 알지?"

"당연히 알죠."

유도를 하는 사람치고 종혁의 얼굴을 모르는 사람이 있을까.

"왜 그러십니까?"

"밟아. 평소처럼."

"……예?"

"저 새끼 좀 짜증 나지 않냐? 어린놈의 새끼가 국민들 세금으로 경찰대를 졸업해 놓고도 국방의 의무를 안 하는 것도 모자라……."

본청에 들어가더니 팀장이 됐다.

자신들은 죽어라 훈련하고 출동을 해도 아직 팀장이 아닌데 말이다. 배알이 꼴릴 수밖에 없었다.

"특수에서 좀 날렸다지만, 어차피 다른 형사들처럼 소꿉놀이나 하는 새끼가 나대는 거 좀 그렇지 않냐?"

"흐음. 듣고 보니 그러네요."

어디 총조차 제대로 쏘지 못하고, 기껏해야 칼이나 휘두르는 범죄사나 삽는 형사들 따위가 어디 자신들과 비교할 수 있을까.

그런데도 경찰대 출신이란 이유로 승승장구한다.

거만한 본청 놈들보다 더 악질이다. 감당할 수 없는 상황이 되면 자신들을 부르는 허약한 놈들보다 더.

"생각해 보니까 좆같은데요?"

"그렇지? 봐, 저 소꿉놀이하는 놈들도 너랑 똑같은 심정이잖아."

주위를 둘러본 이십대 후반 사내의 눈빛이 번들거리기 시작했다.

"걱정 마십시오. 제가 아주 단단히 가르쳐 주겠습니다. 진짜 실전을."

지금까지 그래 왔던 것처럼 말이다.

"그래, 그럼 믿는다."

"옙!"

-서울경찰청 소속 박주철 경위. 박주철 경위는 출전해 주시기 바랍니다.

"다녀오겠습니다!"

그렇게 그가 나가자 그를 충동질한 사내는 손에 들고 있던 핸드폰을 들어 누군가에게 문자를 보냈다.

차가운 미소로 종혁을 바라보며 말이다.

"꺄아아악!"

종혁과 이십대 사내는 비명 같은 응원 소리를 들으며 매트 중앙에서 악수를 나눴다.

"어이쿠, 역시 본청은 부럽네요."

마주 잡은 거친 손에 묵직한 무게가 실린다.

분명 일부러 그러는 게 아님에도 제법인 악력. 그를 통해 이 사람이 얼마나 처절하게 훈련했는지가 여실히 느껴진다.

그래서 더 기대가 되었다.

"하하. 좋은 경기 부탁드리겠습니다."

"유도 금메달리스트인데 제가 더 부탁드려야죠. 좋은 경기 합시다."

그렇게 웃으며 돌아선 종혁은 여전히 우려 섞인 시선을 보내는 선배 경찰을 보며 낯빛을 굳혔다.

'왜일까. 선배님은 왜 저런 표정으로 그런 말을 했을까.'

종혁의 머릿속이 의문으로 물들어 가고 있었다.

'……뭐 곧 알게 되겠지.'

그리고 그 의문은 금세 풀리게 됐다.

삐이익!

"차앗!"

경기 시작을 알리는 호각 소리와 함께 달려드는 SWAT 대원.

마찬가지로 종혁도 달려들며 손을 뻗었고, 두 사람의 손은 허공에서 교차하며 빠르게 부딪쳤다.

그 순간이었다.

핏!

소매를 잡힌 것과 동시에 발목을 향해 날아드는 SWAT 대원의 발.

다급히 소매를 뿌리치며 물러난 종혁은 발톱에 스친 건지 피가 몽글몽글 새어 나오는 발목에 대원을 보며 눈을 가늘게 떴다.

'이 새끼, 설마…….'

방금 전 분명 발바닥이 아니라 발등이 발목을 향해 날아왔다.

거는 게 아니라 걷어차려고 했다.

"왜 그러십니까? 경기 안 합니까?"

"우우우!"

천연덕스러운 상대의 반응과 야유에 종혁의 눈매는 더 좁아졌다.

'……내가 잘못 본 건가?'

그래도 일단 조심하자고 생각한 종혁은 낯빛을 굳히며 그에게 다가갔다.

그리고 다시 전개된 잡기 싸움.

퍼억!

가슴 깃이 잡히는 것과 동시에 턱을 얻어맞은 종혁은 이젠 딱딱하게 굳어 버린 얼굴로 상대를 봤다.

실수가 아니다. 고의였다.

같은 식구가 같은 식구에게 고의로 폭력을 휘두르고 있었다.

"……!"

상대의 표정이 변화하기 시작한다.

순박한 미소가 녹아내리며 그 자리를 비릿한 조소가 채운다.

"왜? 놀랐어? 그동안은 애들끼리 소꿉장난하다가 진짜 유도를 겪게 되니까 무서운 거야?"

눈을 껌뻑인 종혁은 코앞의 상대뿐만 아니라 다른 SWAT 대원들과 경찰들을 둘러봤다.

종혁을 향해 좀 안 됐다는 시선을 보내면서도 꼴좋다는 감정을 여실히 드러내는 경찰들과 같은 표정의 SWAT 대원들.

종혁 본인에게만 향하는 게 아니다. 본청의 다른 출전 선수들에게까지 저들의 악의 어린 시선이 닿는다.

본청 경찰들을 제외한 모두가 적인 것 같다.

'……아, 그런 거였어?'

대충 상황이 파악되자 종혁은 웃음을 터트렸다.

그에 상대 선수인 SWAT 대원이 낯빛을 굳혔다.

"왜 웃지?"

"아니, 본청 경찰이 부러우면 부럽다고 말을 해야지.

이렇게 앵앵거리면 쓰나."

"······뭐?"

"뭐, 지방청 지방서야 가끔 본청이 일감을 뺏어 가니 그럴 수 있다 쳐. 근데 너흰 왜 그러냐?"

광수대나 마약대, 특수까지 모두 가끔 지방청이나 지방서에서 감당할 사이즈가 아니라고 판단됐을 때 개입을 하여 사건을 가져온다. 그들 입장에선 기분이 나쁠 수밖에 없었다.

하지만 SWAT는 아무리 생각해도 이렇게 적의를 드러낼 이유가 없었다.

"아, 설마 혹시 우리야말로 진짜 경찰이다, 너희 일반 경찰들은 어린애 장난이나 한다. 뭐 그런 좆같은 권위 의식인 거냐?"

흠칫!

"이 새끼가······!"

"와, 씨발."

그게 맞았다.

종혁은 달려드는 SWAT 대원을 보며 헛웃음을 터트렸다.

'나 여태까지 뭐 한 거야? 이런 놈들이 뭐 그렇게 예쁘다고 그 지랄을 했을까?'

물론 여기 모인 일부가 아니라 전체를 위해서지만, 그래도 섭섭함이 드는 건 어쩔 수가 없다.

같은 본청 소속이라고 해도 경찰 상부인 고위 간부들과 본청 경찰은 별개의 취급을 받는다고 해도 말이다.

"햐, 이러면 나 삐뚤어지는데."

"차앗!"

파바바바 빠아악!

"악?!"

쿠웅!

"유, 유효!"

"크, 크흡?!"

종혁은 바닥에 널브러진 채 발목을 잡고 있는 SWAT 대원을 보며 고개를 모로 기울였다.

"왜? 놀랐어? 그동안 진짜 유도를 하고 있다 생각했는데, 애들 소꿉장난이었다는 걸 깨닫기라도 한 거야?"

"이, 이 새끼가……!"

종혁은 발을 절뚝이며 달려들어 손을 뻗는 그의 소매를 잡아당기며 다시 같은 자리를 후려쳤다.

빠아아악! 쿠우웅!

"절반!"

종혁은 발목을 잡은 채 끙끙거리는 SWAT 대원을 무심히 응시했다.

'그동안 그 피지컬로 경찰들을 괴롭히니까 좋았지?'

축제나 다름없는 경찰의 날 행사인 데다가 특수부대라는 특성상 대회에서 이 지랄을 했어도 아무런 징계도 받지 않았을 그들.

이택문 경찰청장은 이들을 혼내라고 자신을 출전시킨 게 분명했다.

'그럼 그 뜻에 따라 줘야지.'

종혁은 입술을 비틀었다.

"뭐하냐, 안 일어나고?"

"……."

매트와 주위에 침묵이 내려앉았다.

* * *

제법 모던하게 꾸며진 사무실.

—우와아아! 와아아아!

환호성이 터져 나오는 TV를 보고 있던 오십대 장년인이 똑똑 두들겨지는 문에 시선을 돌린다.

"들어와."

그 허락과 함께 사십대의 사내가 문을 열며 들어온다.

"무슨 일이야?"

"방금 정 의원에게 파견된 임 대리가 연락을 해 왔는데, 아무래도 정 의원이 최종혁을 밟으려는 것 같습니다."

"정 의원? 아, 그 세진은행에 돈 맡겨 놨다가 급히 돈을 옮겨야 했다는? 어떻게?"

"이번 경찰의 날 유도 대회에서 사지 중 하나를 분질러 버릴 거라고 했다는군요. 그렇지 않으면 분해서 참을 수가 없다고."

"분지른다고? 분질러지는 게 아니라?"

"예?"

장년인은 TV 정중앙의 경기가 아니라 한구석을 가리켰다.

평일 낮인지라 생방송으로 진행되고 있는 경찰의 날 행사. 눈을 가늘게 떴던 사십대 사내는 TV 한구석에서 아주 작게 보이는 경기를 응시하다 헛웃음을 터트렸다.

"밟히고 있군요."

장년인은 리모컨을 들어 TV를 껐다.

"방금 전 본사에서 공문이 내려왔어. 내년에 성인이 되는 신원 확실한 인턴들을 보내라고 말이야."

"……?"

"이번에 경찰에 TO가 많이 난 거 알잖아."

"헛! 그, 그럼 설마?"

장년인은 고개를 끄덕였고, 사십대 사내는 낯빛을 딱딱하게 굳혔다.

"알겠습니다. 최대한 빠르게 선별해서 보내도록 하겠습니다."

"나가 봐."

사십대 사내가 나가자 장년인은 다시 TV를 켰다.

─와아아아! 꺄아아아!

쥐꼬리만 한 포상금을 위해 죽어라 싸우는 멍청이들의 사투를 가만히 지켜보던 그는 피식 웃었다.

"자정 작용을 하는 경찰에 독을 심겠다라……. 어르신도 참."

성질이 고약했다.

"……재미없군."

그는 채널을 돌렸다.

* * *

지랄을 하지 않으면 초살, 지랄을 하면 아주 박살.

종혁의 계속되는 연승에 지방청이나 SWAT는 똥 씹은 얼굴로, 본청 선수들은 구세주를 만난 사람처럼 표정이 볼만해진다.

지금도 그랬다.

빗당겨치기를 하던 종혁은 깃을 잡은 손을 놓으며 얼굴로 가져갔다. 그와 동시에 상대의 무릎이 종혁의 관자놀이를 때린다.

퍼어억!

그 순간 둘의 시간이 잠시 멈추고, 종혁은 느릿하게 일그러지는 상대를 향해 코웃음을 친다.

'개새끼.'

그러며 밀던 팔을 부욱 대각선으로 끌어 내린다.

쿠웅!

직후, 상대의 얼굴 한쪽 면과 어깨가 매트에 처박힌다.

"저, 절반!"

종혁은 느긋이 손을 놓았고, 정신없는 와중에 후속 공격이 들어올까 다급히 물러났던 사내는 손을 내밀며 뭐하냐는 듯한 종혁의 표정에 얼굴을 구긴다.

그런 후에야 관람을 하던 사람들의 입이 트인다.

"저, 이 씨발! 야! 깔끔하게 못하냐!"

"시발. 이게 유도 대회야, 격투 대회야!"

"아오! 아까비!"

"뭐? 아까비?!"

사람들의 외침을 무시한 종혁은 흐트러진 도복을 깔끔하게 고치곤 들어오라며 손가락을 까딱였다.

"씨익! 씩!"

'어이구, 울겠네.'

뭐가 그렇게 분한지 씩씩거리는 삼십대 초반의 사내.

그럴 수밖에 없다.

발목을 후려치려 들기에 빗당겨치며 발목을 걸어차 버렸고, 팔꿈치를 휘두르기에 팔꿈치를 휘감아 땅바닥에 메다꽂아 버렸다.

배를 때리기에 양쪽 갈비뼈도 몇 번 훑어 줬다.

덕분에 상대의 코 아래는 피범벅이었는데, 그런 몰골로 씩씩거리니 방울처럼 부풀던 피가 퐁 하고 터진다.

결국 웃음이 터져 버린 종혁은 미안하다며 손을 젓곤 슬그머니 입을 열었다.

"음. 힘드시면 왼손하고 오른발만 써 드릴까요?"

뚝!

"이, 개씨발 새끼가아—!"

결국 눈이 돌아 버린 상대, 결승 상대가 된 다른 청의 SWAT 대원이 눈을 까집으며 달려들자 종혁은 스트레이트로 광대를 노려 오는 손을 잡고 양팔로 휘감았다.

'걸렸어.'

종혁은 그의 어깨를 뽑듯 겨드랑이에 팔꿈치를 집어넣으며 머리 위로 엎어쳤다.

꽈아아아앙!

"……한파안!"

"우와아아악!"

"최 경감-!"

종혁은 낙법을 제대로 못해 꿈틀거리는 상대를 무심히 바라봤다.

"싱겁네."

도발이 아니다. 실제로도 싱겁다.

모두 다 예열은커녕 몸에 땀 한 방울조차 나지 않은 싱거웠던 승부들이었다. 오히려 준비 운동을 할 때가 더 힘든 수준이었다.

"실전 유도는 개뿔."

실제 대회가 아닌지라 반칙에 대해 조금 관대하여 약간 더 험하고, 약간 더 더러울 뿐. 그저 그뿐이었다.

이것을 실전 유도라 칭하니 종혁 입장에선 헛웃음만 흘러나왔다.

"이익!"

"저 새끼가!"

종혁은 반발하는 지방청과 SAWT 대원들을 무심히 둘러봤다.

'뭐? 눈 깔아, 새끼들아.'

수십 대 일이건만 결코 피하지 않은 채 그들을 굽어 보는 종혁.

아무리 반발을 해도 결국 승자는 종혁 본인이다.

결국 이를 악문 그들이 시선을 피하자 종혁은 관중석을 봤다. 저 멀리 결승이라고 참관을 했던 이택문 경찰청장과 본청의 고위 간부들이 박수를 치고 있다.

옆에서 얼굴이 시뻘겋게 달아오른 누구 때문인지, 체면 때문인지 환하게 웃진 않아도 한 번, 한 번이 커다랗고 묵직한 그들의 박수.

'이제 좀 만족하십니까?'

눈으로 보낸 질문에 답을 하는 것인지 이택문 경찰청장의 입꼬리가 비틀어진다.

씩 웃은 종혁은 양팔을 들어 올리며 본청 사람들에게로 향했다.

승리자의 세리머니. 지방청 경찰들을 향해 야유를 보내던 본청 사람들이 활짝 웃는다.

"으하하핫! 역시 메달리스트는 다르네!"

"그냥 메달리스트가 아니라 무제한급 세계 1위였다잖아!"

"잘했어! 네가 우리 본청 명예를 살렸다! 봤냐, 이 새끼들아?! 이게, 우리가 본청이야!"

그들에 의해 높이 들려진 종혁은 입꼬리만 비튼 채 다시 지방청 경찰들을 내려다봤고, 그렇게 경찰의 날 유도 대회가 막을 내렸다.

사격 대회도 마무리가 되면서 경찰의 날 행사는 이제 폐회식만 남겨 두고 있었다.

그에 오늘 전국 각지에서 모인 경찰들은 공사가 거의 마무리된 특설 무대를 뚫어져라 쳐다본다.

누가 최종 우승을 할까 내기가 걸렸을 만큼 잘해 줬던 좌충우돌 파출소 생활기의 연예인들.

경찰의 고충을 알아주고, 공감해 주며, 더 슬퍼해 주던 그들을 싫어할 경찰은 이 자리에 단 한 명도 없었다.

그를 넘어서 어떤 팀의 팬이 되어 앨범을 산 경찰들이 대부분이었고, 여섯 팀 전부에 팬이 된 경찰도 더러 있는 수준이었다.

한 번 꽂히면 집요하게 판다.

그게 경찰이었다.

그때였다.

파바방! 퍼엉!

어둠을 밝히는 조명과 불꽃이 터지는 것과 함께 4명의 여성들이 무대 아래서 쏟아지듯 튕겨져 나온다.

─소릴 높여 봐! 더 크게 질러 봐!

"우오오오오오오!"

"티파니다, 티파니!"

"그래, 내가 티파니가 될 줄 알았다니까─!"

"사랑해요, 티파니! 우웃빛깔 티파니!"

의자에 앉아 있던 경찰들은 벌떡 일어서며 목소리를 높였고, 가장 앞자리에 앉은 종혁은 해맑게 웃는 박성아와 이인영을 보며 풀썩 웃었다.

마침 눈이 마주치자 그동안의 몸 고생 마음고생이 다시 뇌리를 스치는지 눈시울을 왈칵 붉히는 둘.

'끝났네.'

지난 몇 개월의 고생을 떠올린 종혁은 한숨을 폭 내쉬었다.

"이제 거의 끝났군."

종혁은 슬그머니 몸을 일으키는 이택문 경찰청장과 고위 간부들을 봤다.

"벌써 일어나시는 겁니까?"

"우리가 있어 봤자 저놈들이 제대로 즐기기나 하겠나?"

짓궂은 홍보담당관의 말에 뒤를 돌아본 종혁은 피식 웃었다.

애써 경찰로서 체면을 지키려는 듯 무대로 달려 나가진 않지만, 정신줄은 이미 놔 버린 채 몸을 흔드는 경찰들. 지방청의 간부들도 어흠어흠 헛기침을 하면서도 어깨를 살짝살짝 들썩인다.

최재수도 그 사이에 껴서 이에에에 외치는 이인영의 털기춤에 함께 골반을 털고 있다.

'아놔, 저 화상.'

그래도 이 인간적인 모습들이 어떤 식으로 비춰질지 알

기에 종혁은 말리지 않고 가만두기로 했다.

놀땐 놀 줄 아는 유쾌한 경찰. 분명 플러스적 요소다.

"그리고 이제 경찰 이미지 마케팅과의 향방도 정해야지."

번뜩!

종혁은 눈을 빛내며 이택문 경찰청장과 고위 간부들을
봤다.

"따라와."

"충성."

종혁은 몸을 돌리는 이택문 경찰청장과 그들을 따라 조
용한 곳으로 걸음을 옮겼다. 마치 종혁도 고위 간부라는
듯 위화감이 없는 모습.

그런 종혁과 그들의 모습을 박종명 부산청장이 뚫어져
라 응시했다.

"자, 그럼 이제 시작하지."

이택문 경찰청장의 말에 종혁은 속으로 묘한 미소를 지
으며 고위 간부들을 바라봤다.

'과연 누굴까. 날 데려가게 될 사람은 누구일까.'

그동안 홍보담당관 아래에 소속되어 있었지만 임시에
불과했던 경찰 이미지 마케팅과.

본격적으로 활동을 이어 나가기 위해선 이제 임시가 아
닌, 정식으로 한곳에 자리를 잡을 필요가 있었다.

툭!

"음?"

"골라 봐."

종혁은 의아한 눈으로 이택문을 보았고, 이택문은 입술을 비틀었다.

"어떤 놈이 새 팀장에 적합한지."

새 팀장.

종혁의 표정이 딱딱하게 굳었다.

'토사구팽?'

경찰 이미지 마케팅과의 효용성이 증명된 지금, 이젠 팀장에 걸맞은 직급의 인물을 새로이 앉히려 한다고 해도 이상한 일은 아니었다.

능력과 별개로 종혁의 직급은 경감에 불과했으니까.

그러나 이택문의 말은 아직 끝나지 않았다.

"어떤 놈이 최 경감에게 줄 게 많을 것 같은지 골라보라고."

"……제가 직접 말입니까?"

"그럼? 홀랑 가로챌까 봐?"

종혁은 의미심장하게 웃는 이택문과 고위 간부들의 모습에 잠시 멍해 있다가 이내 입술을 비틀었다.

'이 양반들 봐라?'

* * *

─뭣들 하는 거야! 어린 간부 보기 부끄럽지도 않아?!

고성이 터져 나오는 건물의 밖.

경찰 홍보단까지 합세하며 무대의 열기가 뜨거웠지만, 경찰 이미지 마케팅과는 그 건물 밖에 모여 초조하게 다리를 떤다.

앞으로 그들 부서의 향방이 정해질 순간이기에 모두 연신 담배를 찾는다.

그리고 몇몇 경찰도 왜인지 건물 주위를 기웃거린다.

그렇게 얼마나 지났을까.

벌컥!

갑자기 문이 열리며 이택문과 고위 간부들이 걸어 나온다.

대부분 인상을 찌푸린 상태지만, 딱 두 명만 웃음을 감추지 못하고 있다. 그리고 그 두 명 중 한 명이 종혁의 어깨를 두드린다.

"추, 충성!"

"험."

"어험."

경찰 이미지 마케팅과 팀원들의 경례에 고위 간부들은 헛기침을 하며 걸음을 재촉했고, 이택문 경찰청장은 그런 그들을 보며 혀를 차면서도 아무런 말도 안 한 채 발을 뗐다.

그런 그들이 시야에서 사라지고 나서야 팀원들은 종혁에게 달려들었다.

"어, 어떻게 됐습니까?"

"저흰 어느 부서 산하로 들어갑니까?"

종혁은 마치 먹이를 들고 온 어미새에게 입을 벌리며

달려드는 아기새들 같은 그들의 모습에 담배를 물었다.

찰칵! 치이익!

"뭐야, 다들 어떻게 알고 온 거야?"

"내가 데려왔어."

"아, 맞아. 오 경위님이 제 뒤에 계셨죠."

고개를 주억 거린 종혁은 잔뜩 기대하는 시선들에 다시 입을 열었다.

"우리 경찰 이미지 마케팅과는 현 시각 이후부터 기획조정 산하로 편입이 된다."

"……와!"

"기, 기획조정이요?!"

본청에서도 요직 중 요직인 기획조정.

팀원들의 얼굴이 빨갛게 달아올랐다.

종혁은 어쩔 줄 몰라 하는 그들을 향해 말을 이어 갔다.

"대신 과가 아니라 팀으로 부서명이 변경될 거고, 총경급 인사가 새로운 팀장으로 올 거다. 난 부팀장으로서 그분을 보좌할 거고."

그것도 이택문과 대립각을 세우는 파벌들 쪽에서 한 명을 택해 부임시킬 예정이다.

정치. 지금까지 칼춤을 췄기에 화해의 손길을 내미려는 이택문의 정치였다.

쿵!

팀원들이 몸이 모두 굳는다.

그들은 믿을 수 없다는 듯 불신 어린 눈으로 종혁을 봤지만, 종혁의 입에선 담배 연기만 흘러나올 뿐이었다.

"……아니, 이건 아니죠!"

"맞아요! 팀장님이 아니었으면 저희 과가 이렇게 컸을 리가 없잖아요! 우리 과를 누가 만들었는데! 그리고 이번에 청장님이 발표한 정책들을 누가 기획했는데—!"

그들의 얼굴이 방금 전과 다른 의미로 벌겋게 달아오른다.

상부를 향한 실망으로 얼룩지는 그들의 얼굴에 종혁은 '그래도 내가 나쁜 리더는 아니었구나' 생각하며 흐뭇하게 웃었다.

"지금 웃음이 나오십니까?!"

종혁은 불같이 화를 내는 최재수를 보며 고개를 삐딱하게 기울였다.

"그럼? 울까?"

"……."

종혁은 담배 연기를 길게 뿜었다.

"어차피 이게 맞는 거야. 팀장인데 계급이 경감인 게 말이 돼?"

특수범죄수사과의 과장인 김종두도 총경으로 진급하고 나서야 '이제야 직책에 맞는 계급'이라는 소리를 들었다.

본청은 그런 곳이었다.

만약 종혁이 팀장 자리를 계속 고집했다면 분명 그를 아니꼽게 볼 사람들이 생겼을 터.

게다가 이미 수많은 예외적인 혜택을 누리고 있는 종혁이었다. 그 스스로도 이 이상은 조직의 체계를 무너뜨릴 수도 있다며 걱정하고 있던 차였다.

　그런데 이택문과 고위 간부들이 아주 재밌는 일을 벌여주었다.

　"그리고 걱정하지 마. 요식 행위만 하자는 거니까."

　"······아."

　"그, 그럼?"

　"그래. 앞으로도 지휘봉은 계속 내가 잡을 거야. 새로 부임하시는 팀장님은 얼굴 마담인 거지. 그러니 괜히 간부님들 미워하지 마라. 정말 그런 분들이었으면 우리가 기획한 것들을 받아들이셨겠냐?"

　그제야 내막을 모두 알아차린 그들은 잠시나마 상부를 의심했던 것에 부끄러움을 느끼며 고개를 숙였다.

　"죄, 죄송합니다."

　종혁은 웃으며 담배를 껐다.

　"물론 얼굴마담이라고 해도 팀장님이시니까 절대 무시하지 말고."

　"옙-!"

　"자, 그럼 마지막으로······."

　"······?"

　"청장님께서 경찰 이미지 마케팅과, 아니 팀에게 10일의 유급 휴가를 명하셨다."

　쿠웅!

　방금 전과 거의 같은 무게의 충격이 그들을 휩쓴다.

　"저, 정말 10일 유급휴가입니까?"

"청장님께서 잘해 줬다고 특별히 주신 거야."

"우와아아아아아악!"

"이택문 경찰청장님, 만세! 만세-!"

어디 경찰공무원이 10일이나 연속으로 쉴 수 있을까. 휴가 시즌 때도 어림없는 일이다.

"아무튼 그거에 이 회식비까지 주셨으니까 모두 내가 예약한 곳으로 튀어 가!"

"우와아아아아아아!"

종혁은 달려가는 그들의 모습에 푸근히 웃으며 담배를 물었다. 그 담배에 오택수가 불을 붙였다.

"그래서 네 생각은?"

종혁은 불신으로 가득한 오택수를 빤히 바라봤다.

"정말 상부의 말을 믿는 건 아니겠지? 그 자리까지 올라간 양반들의 말을?"

"……킥!"

돌연 터진 종혁의 웃음에 오택수와 함께 남아 있던 최재수도 사태를 파악하고 눈을 부릅뜬다.

주위를 둘러본 종혁은 입술을 비틀었다.

"그럴 리가 있겠습니까?"

새로 온 팀장이 작정하고 대립각을 세우면 계급에서 밀리는 종혁은 점점 설 자리를 잃게 될 터. 이택문 경찰청장과 다른 파벌의 인사니 백 퍼센트라고 볼 수 있다.

"하지만 그렇다고 해서 새로 오는 팀장이 뭘 어쩔 수 있는데요?"

'어차피 내 업적을 가로채진 못해.'

팀장이 새로 부임을 한다고 한들 할 수 있는 일이라곤 고작해야 사후 관리 및 종혁이 해 놓은 걸 그대로 따라 하는 것뿐이다.

빠듯한 예산으로는 그 이상의 일을 벌일 수 없을 터.

이미 종혁에 의해 눈이 높아질 대로 높아진 고위 간부들이기에 새로 팀장으로 부임할 총경이 미흡한 모습을 보이면 보일수록 종혁과 비교를 하게 될 거다.

고위 간부들이 욕심을 내기 시작한 꿀단지, 경찰 이미지 마케팅팀은 독이 든 성배였다.

종혁은 이미 이런 상황을 대비해 처음부터 그렇게 만들어 났다.

종혁 본인의 재력이 아니면 정말 빠듯하게만 굴러가도록 말이다. 그래서 이렇게 순순히 물러나는 것이었다.

"그리고 경찰청장님과 간부님들은 그걸 알고 있죠."

그럼에도 다른 파벌에 팀장을 주기로 했다.

그 의도가 무엇이겠는가.

"참 재밌는 양반들이라니까요. 그죠?"

이런 종혁의 말에 오택수와 최재수는 하얗게 질린 얼굴로 혀를 내둘렀다.

"미친……."

"큭큭. 전 새로 온 팀장님에게도 적극 협력해 줄 겁니다. 그 어떤 말이 나오지 않도록 말이죠. 딱 복귀하기 전까지만."

"······복귀?"

종혁은 의아해하는 그들에 눈을 껌뻑였다.

"뭡니까? 특수로 안 돌아갈 거예요?"

그랬다. 종혁은 이럴 생각까지 했기에 순순히 물러났던 거다.

"아······."

"푸후. 그럼 그렇지. 네가 그렇게 허투루 밥그릇을 뺏길 리가 없지."

"거기다 난 팀장이 온다기에 순순히 그러라며 물러났으니 적을 만들지도 않고요."

적이 아니라 아군만 만들어 놨다.

투정을 부리면 그놈이 병신이 되는 거다.

도와 달라 외치면 그때 감히 종혁 자신이 만든 밥그릇을 탐낸 대가를 받아 내면 된다.

빈틈은 없었다.

"어때요? 정말 좋지 않습니까?"

비틀어진 입술 안으로 들어오는 담배 맛이 참 달았다.

"미친 새끼."

"저, 정말 팀장님은······."

종혁은 킬킬 웃었다.

"이왕이면 대가리가 좀 굴러가는 양반이면 좋을 텐데······ 음?"

주차장에 누군가 서 있다.

박성아였다.

"큭큭. 우린 먼저 간다."

저번처럼 음흉한 표정을 지은 그들이 걸음을 재촉하자 종혁은 한숨을 탁 내뱉었다.

'정말로 떨어트릴 걸 그랬나?'

"아직 안 돌아가신 겁니까? 차에 무슨 문제라도 생긴 거예요?"

종혁의 귀찮아하는 표정에 입술을 깨문 박성아가 얼굴을 구긴다.

'씨! 진짜 자존심 상하게 만드네, 이 남자!'

오기가 생긴다.

하지만 오늘은 그 일 때문에 기다린 게 아니기에 꾹 참았다.

"그럼요?"

"혹시 수영이랑 연락 잘 되세요?"

"박 씨 할아버지 손녀를 말하는 겁니까?"

"네!"

"흠. 그러고 보니……."

가끔 연락을 할 때마다 핸드폰이 꺼져 있던 수영.

조상구 선생님도 연락이 한 번에 연락이 닿진 않았다. 몇 시간 후에 수업 중이라 미안하다며 문자를 보내긴 했는데, 종혁도 그동안 업무가 너무 많고 바빠서 그러려니 하고 넘겨 버렸다.

"생각해 보니 저도 연락이 잘 닿진 않네요."

"무, 무슨 일이라도 생긴 건 아닐까요?"

"그럴 리가요. 아마 수영이 핸드폰이 고장 난 걸 겁니다."

"그렇겠죠?"

"예, 그럴 겁니다. 안 그래도 한번 찾아가 보려고 했으니 너무 걱정 마시고 돌아가 보세요."

"……꼭 알려 주셔야 해요."

고개를 끄덕인 종혁은 그대로 몸을 돌려 차로 향했고, 박성아는 오늘 좋았다, 우승팀이 된 걸 축하한다 뭐 그런 일반적인 말조차 꺼내지 않는 종혁의 모습에 입술을 깨물었다.

가슴이 시릴 만큼 차가워서 오만 정이 떨어지는 종혁.

'하지만 어쩌겠어. 먼저 반하면 지는 거지.'

"칫!"

혀를 찬 그녀는 차에 오르자마자 음흉하게 쳐다보는 멤버들의 눈빛을 무시하며 눈을 감았고, 그녀들을 태운 차도 그제야 주차장을 빠져나갔다.

그렇게 경찰의 날 행사가 뒷마무리까지 모두 마무리되었다.

* * *

이제 완연한 가을이 된 어느 날의 아침.

정혁 빌딩이 제법 시끄럽다. 단풍이 물든 가을 산으로 MT를 가기 위해 경찰 이미지 마케팅팀의 팀원들과 그 가족들이 모이고 있기 때문이다.

"내가 죽기 전에 우리 박동수 경찰 아드님이랑 여행을 다 가네."

"아니, 내가 언제 안 간다고⋯⋯."

"아이고, 오랜만입니다!"

시끌시끌, 왁자지껄!

다들 오랜만의 여행이라서 그런지 흥분한 사람들을 흐뭇이 바라보던 종혁은 갑자기 울리기 시작한 핸드폰을 귓가에 가져갔다.

−눈을 떠⋯⋯.

'아, 맞아. 수영이.'

또 까먹었다고 자책한 종혁은 얼른 전화를 받았다.

"예, 최종혁입니다."

−어! 지금 거의 다 왔거든?

"빨리 오세요. 오 경위님이 제일 늦고 계세요."

−알았어! 금방 갈게!

전화를 끊은 종혁은 생각난 김에 다시 수영과 조상구에게 전화를 걸었다. 하지만 둘은 여전히 연락이 닿지 않았다.

"아니, 이럴 거면 핸드폰을 뭐하러 들고 다닌데?"

결국 그는 기억을 더듬어 조상구가 쓴 조서에서 얼핏 본 학교 연락처로 전화를 걸었다.

그런데⋯⋯.

−예. 설화학교 행정실입니다.

'설화?'

종혁은 눈을 끔뻑였다.

그러다 삽시간에 표정이 굳었다.

"정말 학교 이름이 설화인 겁니까?"

-네. 무슨 일이신가요?

'정말 그 설화라고?!'

설화학교.

경찰이라면 결코 잊을 수 없는 이름.

'이 이름이 여기서 왜 나와?'

종혁은 핸드폰을 멍하니 바라봤다.

2장. 천사들의 눈물

천사들의 눈물

　－이에에에에!

오늘은 버스에서 작렬하는 최재수의 골반 털기춤에 비명이 터진다.

"악! 내 눈!"

"우우우우우!"

"푸하하하핫!"

깨갱하면서도 반항적으로 노려보는 최재수의 얼빵한 얼굴에 웃음이 터지는 버스 안, 종혁은 팀원들의 부모님께 붙잡혀 있었다.

"젊은 분이 정말 대단하십니다."

"하하, 아닙니다. 운이 좋았던 거죠."

"자자, 제 잔도 받으십시오."

"예, 예! 어이쿠, 넘칩니다."

종혁은 그렇게 팀원들의 부모에게 한참 동안 시달리고 나서야 겨우 자유를 찾을 수 있었다.

"후아."

"수고했다."

종혁은 오택수의 말에 대답 대신 손부채질을 하며 달아오른 얼굴을 식혔다.

"그래서."

"음?"

"뭐 때문에 아침부터 똥 씹은 표정인데?"

종혁은 묘한 눈으로 오택수를 봤다.

"티 났어요?"

"그럼 안 났겠냐? 뭔데?"

"아니 뭐……."

믿었던 사람이 배신을 했다.

그런데 과연 이걸 배신이라고 할 수 있을까?

"그건 또 뭔 개소리야? 배신을 했는데 배신으로 볼 수 없어? 이중 스파이야?"

"아무튼 그런 게 있습니다. 일단 지금은 즐기기로 하죠."

"야."

"장미야! 네 아빠 욕한다!"

"아빠―!"

"이런 씨! 아니야, 장미야."

"아빠, 내가 담배 피우고 술 마시며 스트레스 푸는 건 괜찮지만 욕은 하지 말랬지! 욕은 아빠의 품격을 떨어트리는 나쁜 행동이라니까?!"

"그럼. 내가 왜 욕을 해. 아빠 욕 안 해."

종혁은 어린 딸에게 쩔쩔매면서도 죽일 듯 노려보는 오택수의 모습에 낄낄 웃었다.

하지만 그 속은 차가운 냉기만 흐르고 있었다.

'왜 둘의 조서를 자세히 볼 생각을 안 했을까.'

그랬다면 학교로 돌아간다고 해 놓고, 박수영과 증발하듯 사라져 버린 조상구를 막지 않았을까 하는 죄책감이 들었다.

'어떻게 된 일인지는 일단 면상 보고 이야기합시다, 선생님.'

종혁은 부디 자신이 생각하는 그 일이 아니기를 간절히 바랐다.

* * *

"와!"

"우와아!"

울긋불긋 단풍으로 물든 산에 둘러싸인 커다란 리조트.

그 그림 같은 풍경과 도심에선 느낄 수 없는 상쾌한 공기에 사람들은 가슴이 뻥 뚫리는 걸 느낀다.

그에 흡연자들은 재빨리 담배를 문다.

공기 좋고 풍광 좋은 곳에서 피우는 담배 한 모금.

짝!

비흡연자들이 눈초리를 주기 전 얼른 박수를 쳐 이목을 집중시킨 종혁이 입을 열었다.

"오늘부터 휴가가 끝나는 4일 후까지 이곳에서 머무를 텐데, 첫날은 오시느라 수고 많으셨으니 가볍게 가족들과 오순도순 온천사우나를 즐기시면 되겠습니다. 저녁엔 바비큐 파티가 예정되어 있으니 꼭 참석해 주십시오. 그리고 이튿날에는 스케줄이 좀 갈릴 텐데……."

낚시와 쇼핑이다.

"목포에 큰 배를 빌려 놨으니 낚시를 하실 분들은 내일 새벽 4시까지 로비로 모여 주시면 되고, 쇼핑을 하실 분들은 광주에 가서서 백화점 투어 및 광주 관광을 하시겠습니다."

자식, 남편, 아빠들에게 두둑한 상여금이 내려졌으니 마음껏 이용하시란 말에 가족들의 눈이 번쩍인다.

'아니?!'

'팀장님-!'

킬킬 웃은 종혁은 말은 이었다.

"3일째는 등산 및 맛집 탐방. 이것도 가실 분은 가시고, 쉬실 분은 쉬시면 됩니다. 그리고 4일째는 휴게소 맛 탐방을 하면서 천천히 복귀를 하겠습니다. 질문 있으십니까?"

"아니요-!"

"좋습니다! 그럼 해산! 저 리조트 꼭대기 층 왼쪽에 있는 아무 방이나 골라 들어가세요!"

"……네?"

"우리 남편, 자식, 아빠분들께서 너무 일을 잘해 주셔서 상부에서 휴가 지원금이 나와 꼭대기 층 반을 전세 낼 수 있었으니 감사하다 말하며 돌격!"

"미, 미친?"

"돌격억!"

"도, 돌격!"

"사랑해 아빠!"

"잘했다, 내 동생!"

"우와아아아아아아아!"

종혁은 짐 가방을 마치 열쇠고리처럼 흔들며 달려가는 사람들의 모습에 흐뭇이 웃었다.

"야, 야."

"네?"

"우리 휴가 지원금까지 나온 거냐? 상여금도 그렇게 받았는데? 대체 왜 이러는데? 적응 안 되게!"

바뀌어도 너무 바뀐 상부에 적응이 안 된다.

종혁은 이런 오택수의 말에 피식 웃었다.

"나오긴 나왔죠. 한 2백만 원?"

"응? 자, 잠깐 그럼?!"

"전 먼저 들어갑니다. 짐 들고 천천히 오세요."

담배를 문 종혁은 리조트 안으로 걸음을 옮겼고, 오택수와 다른 팀원들은 그런 종혁의 등을 망연자실 쳐다봤다.

"……저 미친 새끼가 또?"

"또, 또요?"

"뭐야, 최재수 너 몰라?"

오택수는 헛웃음을 터트리며 특수범죄수사과의 태국 휴가 여행을 말해 주었다. 파라다이스 그 자체였던 그날 의 휴가를, 휴가 경비 전액을 혼자 부담한 종혁에 대한 이야기를 말이다.

경찰 이미지 마케팅팀의 팀원들이 입을 떡 벌리며 종혁 을 응시했다.

그렇게 경찰 이미지 마케팅팀의 휴가가 시작되었다.

"여깁니다, 팀장님!"

"커피 드셨습니까? 안 드셨으면 여기 커피 드세요!"

"아침엔 사과죠! 사과주스입니다!"

새벽녘, 어젯밤 거나하게 취해서 그런지 부스스한 얼굴 을 하던 팀원들은 종혁이 로비에 등장하자마자 눈을 부 릅뜨며 가져온 것들을 내민다.

'왜 이래?'

종혁은 설명해 달라는 듯 오택수를 봤고, 오택수는 어 깨를 으쓱였다. 이런 종혁의 반응에 팀원들의 가슴은 더 뜨겁게 달아올랐다.

'아무리 부자라지만 그런 돈을 지불하셨는데도 이런 반 응을 보이시다니!'

자신들이었다면 아마 티를 내지 못해 안달이 났을 것이다.

'역시 우리 팀장님이야!'

이분이 자신들의 리더다.

이분 말고 다른 리더는 생각할 수 없다.

종혁은 더욱 초롱초롱 하게 빛나는 그들의 눈에 종혁은 주춤 물러났고, 아버님들은 난생처음 보는 아들들의 모습에 헛웃음을 터트렸다.

하지만 어떤 말도 하지 않았다. 아니, 오히려 응원했다.

그들도 들었기 때문이다. 이 여행 경비를 누가 부담하는지에 대해 말이다.

'잘한다, 내 아들!'

'그래! 상사 비위는 이렇게 사소한 것에서부터 맞추는 거다!'

종혁이 어디 그냥 상사인가. 회사로 치면 오너 직계라고 할 수 있을 정도로 승진 가도를 걷는 엘리트 간부다.

그것도 능력도 좋고 돈까지 팍팍 쓰는 이상향 같은 간부.

"어…… 뭐, 잘 마실게. 너희도 이것들 먹어."

"감사합니다! 잘 먹겠습니다!"

"짐은 이리 주십시오!"

"제게 주십시오!"

종혁이 들고 온 짐을 두고 옥신각신하던 그들은 버스가 도착하자 천천히 오시라 외치며 우르르 몰려 나갔고, 눈을 끔뻑이던 종혁은 이내 피식 웃으며 느긋이 뒤를 따랐다.

오택수는 그런 종혁을 보며 코웃음을 쳤다.

"새끼가 아주 의뭉스러워. 다 의도해 놓고 그런 반응 보이기 있기? 없기?"

"……있기."

비록 이택문이 모았다지만, 자신이 가르치고 키운 내 새끼들이다.

새로 온 팀장이 부릴 수작에 흔들리는 꼴을 볼 수 없었다.

그래서 계획한 여행이었다.

종혁의 입꼬리가 비틀렸고, 오택수는 그럴 줄 알았다는 듯 고개를 저었다.

"그런데 최 경상은요?"

"응? 같이 내려왔었…… 하아."

주위를 두리번거리며 최재수를 찾던 오택수는 한구석에 구겨져 졸고 있는 최재수를 발견하곤 한숨을 탁 내뱉었다.

오늘 낚시를 갈 것임에도 어젯밤 술을 들이부었던 최재수.

오택수는 그에게 걸어가 머리를 움켜쥐었다.

"악?! 아아악!"

"인나, 새끼야."

"자, 잠깐, 탭! 탭탭!"

최재수는 오택수에게 끌려갔고, 종혁은 뒤를 따르며 담배를 물었다. 휴가를 왔음에도 언제나 같은 하루였다.

그렇게 목포로 향한 그들은 쭈꾸미 낚시를 했는데, 이날 약 열 다섯 명이 낚아 올린 쭈꾸미만 무려 천오백여 마리. 넣었다 빼면 올라오는 수준에 모두 정신없이 낚시에 매진했다.

이 역시도 돈질의 결과였다.

미끼를 포대로 부어 버리는데 쭈꾸미가 꼬이지 않을 리

가 없었다.

이미 이런저런 이유로 낚시 경험이 있는 아버님들은 그 어마어마한 돈질에 혀를 내두를 수밖에 없었고, 아들들의 옆구리를 찌르며 저 줄은 무조건 꽉 잡아라 각인을 시켰다.

그렇게 그들의 휴가 여행은 웃음으로 가득해져 가고 있었다.

3박 4일의 휴가는 순식간에 지나갔다.

하지만 그 누구도 아쉬워하진 않았다.

지루해서가 아니라 너무도 만족스러웠던 시간.

휴가 후유증이 올게 분명할 거라며 걱정이 될 만큼 좋았던 휴가였다.

"아이고. 같이 가시지 않고요, 팀장님."

"근처에 볼일이 좀 있어서 그래요, 할머님. 전 걱정 마시고 조심히 올라가세요."

"그래도……."

박동수 경장의 할머님뿐만 아니다.

다른 사람들도 무척이나 아쉬워하고 있다. 누군가는 아들의 옆구리를 찌르며 따라가라고 재촉하기도 해서 종혁은 달래느라 애를 써야 했다.

결국 어쩔 수 없다는 듯 버스에 오른 그들이 모두 떠나자 종혁은 오택수와 최재수를 봤다.

이미 종혁에게 사정을 들어 낯빛을 굳히고 있는 둘.

"이제 가죠."

돌아서는 종혁의 입가에 차가운 미소가 걸렸다.

* * *

저 멀리 가을 단풍으로 물든 산이 보이는 바닷가.

통통통.

검은 연기를 토하는 작은 배 한 척이 바닷물을 느릿하게 가르며 선착장으로 들어선다.

"형님! 오늘은 좀 잡혔어?"

"그럭저럭!"

말은 그렇게 했지만, 새까맣게 탄 오십대 선장의 입가엔 미소가 가득하다. 오늘도 선창 하나를 가득 채우다시피 했기 때문이다.

선장은 눈만 빼고 얼굴 전체를 가리는 마스크를 쓴 채 뒷정리를 하는 사내를 흐뭇이 바라봤다.

'저 양반이 어신이지, 어신이야.'

두어 달 전 갑자기 마을에 나타나 선창가를 기웃거리며 일감을 구하던 양반.

비리비리해서 힘이나 쓸까 싶었지만 그래도 사정이 딱해 보여 배에 태웠는데, 그때부터 바다로 나갔다 하면 풍년이었다.

"좀 이따가 넘어와! 한잔하게!"

"알았어요!"

그렇게 동네 동생이 선착장을 빠져나가자 선장도 그제야 뒷정리를 도왔다.

그렇게 정리를 모두 마치니 어느새 해가 저물어 가고 있었고, 사내도 쓰고 있던 마스크를 그제야 벗을 수 있었다.

뿌드득!

"휴우우."

새벽에 시작되어 이제야 끝난 일. 오늘 하루도 무사히 지나갔다는 생각에 사십대 중년인은 미소를 지었다.

그런 그에게 선장이 짓궂은 미소를 지으며 다가섰다.

"어떻게 오늘은 한잔할 수 있겠어?"

"죄송합니다. 애가 기다려서……."

안절부절못하는 그의 모습에 선장의 얼굴이 슬쩍 구겨진다.

"이봐, 선생 양반. 이름이 조상구라고 했던가?"

그랬다. 그는 박수영과 자취를 감춘 조상구였다.

"예, 조상구입니다."

"그래. 상구 동생. 내가 상구 동생이 막냇동생 같아서 하는 말인데, 이런 시골에서 그렇게 빼고 다니면 안 좋아. 싫어도 해야 되는 게 시골이야."

"죄, 죄송합니다. 다음엔 꼭 참석하겠습니다."

"아니, 혼내는 게 아니라…… 어휴. 그러면 이거라도 가지고 가."

선장은 오늘 포획한 것들 중 일부를 담아 내밀었다.

"날 추워지니까 마늘, 대파 넣어서 푹 끓여 먹어. 도시 사람이 바다 추위 우습게 봤다간 골병들어."

"가, 감사합니다."

"그래, 가 봐. 내일은 쉬니까 모레 나오고."

"예, 예."

고개를 연신 숙인 조상구는 선착장으로 뛰어내렸고, 발을 잘못 디뎠는지 휘청이는 그의 모습에 선장은 한숨을 내쉬며 담배를 붙였다.

"선생까지 했다는 양반이 어쩌다가…… 쯧쯧. 하늘도 무심하시지."

"여보오! 또 담배 피우냐!"

"이크! 안 폈어! 가―!"

그는 시동키를 챙기며 선착장을 빠져나갔다.

한편 선착장을 빠져나와 집으로 향하는 골목길에 접어든 조상구는 돌연 몸을 멈추며 양손을 응시했다.

바닷물에 팅팅 붓고 굳은살이 박이기 시작한 손.

결코 교육자의 것이 아닌 손이 달달 떨리고 있다. 부서질 듯 아픈 허리에 달린 다리도 마찬가지다.

이젠 좀 적응할 만도 하건만 여전히 아픈 몸뚱이에 조상구는 울컥하고 만다.

"……푸후. 아니다, 아니야."

이 고생 모두 수영을 위해서가 아니던가.

이 몸 하나 부서져서 수영이 행복할 수 있다면 얼마든지 그럴 수 있었다.

처량히 웃은 그는 선장이 준 봉지의 내용물을 살폈다가 깜짝 놀랐다.

"이건?"

오늘 통발을 걷을 때 함께 딸려온 우럭과 꽃게다.

선장이 술안주를 할 거라며 따로 챙겼던 바다가 준 깜짝 선물들.

오늘도 퉁명스러우면서도 이렇게 챙겨 주는 선장의 마음씀씀이에 조상구는 미안해 어쩔 줄 몰랐다.

그러면서도 이걸 보고 좋아할 수영의 얼굴이 떠올리니 오늘 하루의 피로가 모두 날아가는 것 같았다.

조상구는 걸음을 재촉했다.

"얼른 가자."

오늘도 하루 온종일 집에만 있어 심심했을 수영이.

얼른 가서 입에 뭘 넣어 줘야 삐지지 않을 것이다.

그는 천근만근 무거운 다리를 재촉해, 선장처럼 좋은 마을 사람들 덕분에 구할 수 있었던 보금자리로 향했다.

덜컹!

조상구는 철문을 활짝 열며 크게 외쳤다.

"수영아! 아빠 왔……."

수영을 부르던 조상구는 입을 다물었다.

원랜 잡초만이 무성했어야 할 마당에 웬 그릴이 있는 것도 모자라 고기가 구워지고 있고, 절대 여기에 있으면 안 될 종혁이 한 손에 술잔을 든 채 수영의 옆구리를 쿡쿡 찌르고 있다.

웬 남자 두 명이 더 있지만, 얼굴이 하얗게 질리는 조상구에겐 오직 종혁만 보인다.

"어? 선생님…… 아니, 아빠! 다녀오셨어요!"

벌떡 일어나 쪼르르 달려가는 수영.

그제야 고개를 돌린 종혁은 딱딱하게 굳어 버린 조상구를 번들거리는 눈으로 응시했다.

"아빠라…… 훗. 우리 할 말이 참 많을 것 같지 않습니까? 수영이 아버님?"

사납게 일그러지는 미소에 조상구는 털썩 주저앉아 버렸다.

* * *

쪼르르!

수영 때문에 거부했던 술잔에 술이 따라진다.

"드시죠."

조상구는 찰랑이는 술을 보며 이를 악물었다.

솔직히 잡히지 않을 줄 알았다.

그가 여태껏 보아 왔던 경찰은 의욕이 없었기에, 다 한통속이었기에.

종혁은 좀 많이 달랐지만 그래도 사건을 해결했으니 이제 관심을 끌 줄 알았다.

그런데 아니었다.

씁쓸히 웃은 조상구는 단숨에 술을 들이켰다.

"아빠, 여기!"

"……고마워. 맛있네."

"에헤헤."

수영의 머리를 쓸어내린 조상구는 종혁을 봤다.

"정말 좋은 경찰이십니다."

"그런 대답을 듣고 싶은 게 아닙니다만."

"한 잔 더 주시겠습니까?"

종혁은 금방이라도 무너질 듯한 조상구에게 술병을 기울였다.

"푸! 푸후!"

한 잔, 두 잔, 세 잔.

종혁의 손에서 술병을 낚아챈 조상구는 연거푸 술을 들이켰고, 종혁은 그 모습을 빤히 보다 다시 술을 들이켜려는 그의 손을 잡았다.

그러곤 왜 그러냐는 듯 보는 조상구의 모습에 눈으로 수영을 가리켰다.

처음 보는 조상구의 모습에 울상이 되어 안절부절못하는 수영.

움찔!

"푸흐흐……."

돌연 웃음을 터트린 조상구는 종혁을 보며 처연히 웃었다.

"제가 나쁜 놈처럼 보이시지요?"

"그럼 나쁜 놈이…… 윽?!"

최재수가 이를 악물며 달려들려 하자 오택수가 재빨리

내리눌렀다.

"봐 봐요! 납치범이잖아요! 아, 진…… 읍! 으읍!"

종혁은 무시하며 조상구를 봤다.

그의 눈은 어떠한 광기, 아니 한과 분노로 번들거리고 있었다.

"그래요! 나쁜 놈으로 보이겠죠! 자, 그럼 잡아가십시오! 저 잡아가시고 우리 수영이는 보육원에 보내십시오! 그러면 되잖습니까! 어서요! 어서!"

"아, 아빠……."

"어서요! 제발! 뭐합니까―!"

종혁은 양손을 모아 가슴을 미는 그를 무심히 바라보다 말을 툭 던졌다.

"학교에서 무슨 일이 있었던 겁니까."

멈칫!

발버둥 치던 재수도, 그를 내리누르던 오택수도 굳어 버린다.

"어, 어떻게……."

종혁은 파랗게 질리는 그를 응시하며 수영의 아랫배에 손을 가져갔다.

"히잉. 아저씨도 아픈 짓 할 거야?"

오싹!

끔찍한 소름이 그들의 몸을 잠식한다.

그 안에서 유일하게 흔들림이 없는 종혁은 이제 낯빛이 검게 변하는 조상구를 보며 이를 드러냈다.

"학교가 이 아이에게 무슨 짓을 저지른 겁니까."

앞으로 수영에게 속죄하며 살겠다는 마음에 고된 노동도 버렸던 조상구는 눈을 질끈 감았다.

* * *

슬슬 해가 저물어 가는 오후, 반기숙학교인 설화학교의 학생들이 하교를 준비한다.

"안녕히 계세요."

"선생님, 빠이빠이!"

부모님의 손을 잡은 채 배꼽인사를 하고, 손을 흔들며 교문을 나서는 다양한 연령대의 아이들.

흐뭇이 웃으며 손을 흔들던 선생들은 그들이 보이지 않게 되자 몸을 돌렸다.

"오늘도 수고했어요."

"하 선생도요."

오늘도 무사히 하루가 끝남에 그들의 입가엔 미소가 어린다.

그러다 학교 건물을 보자 한숨을 내쉰다.

유리창은 먼지에 찌들어 뿌옇고, 페인트는 다 벗겨진 폐교 같은 건물. 여름에 불어닥친 태풍 나비 때문에 깨져 신문지로 막아 놓은 유리창 몇 개도 아직 그대로다.

"하아. 이번에도 지원이 반려된 건가요?"

"모르겠어요. 분명 지자체에선 예산을 편성했다고 하

는데……."

"그 말을 믿습니까? 말만 그렇게 해 놓고 꿀꺽했겠죠."

"그럼 애들 통학버스도 결국……."

"통학버스가 문젭니까. 당장 보일러 돌릴 수도 없는데."

"보일러가 뭐예요. 당장 애들 학습재도 못 사는데."

선생들의 얼굴이 어두워진다.

참 많은 지원이 필요한 아이들임에도 세상에서 외면을 받는 아이들. 이럴 때마다 세상이 참 야박하다 생각된다.

이 천사들을 지상에 내려 주기만 한 하늘은 말할 것도 없다.

"자, 안 되면 되게 하는 게 우리 선생들이 해야 될 일 아닙니까."

전기세가 모자라면 십시일반 월급을 모으고, 학습재가 부족하면 그것도 십시일반 모으면 된다. 하늘에서 내려 온 천사들을 보호하는 게 자신들의 소명.

"우리가 더 열심히 합시다."

삼십대 국어 선생님의 말에 다른 선생들은 오늘도 무너지려는 마음을 단단히 다졌다.

"……예."

"어이구, 일터가 그렇게 좋습니까? 퇴근들 안 해요?"

"주임 선생님!"

배가 불룩 튀어나와 더 푸근한 인상의 사십대 중반 중년인이 다가오자 선생들의 얼굴이 활짝 펴진다.

"오늘 기숙사 당직 선생님이 누구예요?"

"접니다."

"아, 하 선생이었어요? 잘됐네요. 나랑 바꿉시다."

"예에? 또, 또요?"

"네, 또…… 집에 들어오지 말라네요. 우리 공주님이."

먼 산을 아련히 보는 주임 선생님의 모습에 다른 선생들은 어이구 이마를 잡는다.

"또 어제 술 드시다가 새벽에 들어가셨어요?"

"아니, 그게 내 탓은 아니잖습니까. 오랜만에 친구를 만나면 응?"

"그래도 적당히 드셨어야죠. 중학교 3학년이면 한참 예민할 시기인데."

"……그래요. 내가 죄인입니다, 죄인이에요. 아무튼 그렇게 아시고 다들 퇴근하세요."

"넵! 수고하셨습니다!"

그렇게 선생들이 교무실에서 짐을 챙겨 떠나자, 주임 선생은 자신의 컴퓨터를 켜서 온라인 바둑 사이트에 접속했다.

딱! 딱!

시간이 얼마나 흘렀을까.

바둑돌 내려놓는 소리만 울리는 적막한 교무실의 문이 두드려진다.

쿵쿵! 드르륵!

"어머. 또 주임 선생님이 당직이세요?"

"하하. 그렇게 됐습니다. 애들은 다 재우셨습니까?"

한눈을 팔면 어떻게 다칠지 모르기에 잠들기 전까지 보호의 손길이 필요한 아이들.

"예. 모두 잠드는 거 확인했어요."

"수고하셨습니다. 그럼 이만 퇴근들 하시고, 내일 뵙겠습니다."

"주임 선생님도 얼른 주무세요."

고개를 꾸벅 숙인 기숙사 담당 선생들도 모두 떠나자, 주임 선생은 슬그머니 책상 아래에서 검은 봉지를 꺼냈다.

봉지 안에서 달그랑 소리를 내며 부딪치는 소주병들.

"크으!"

주임 선생은 얼마 전 먹고 남긴 마른오징어를 질겅질겅 씹으며 다시 마우스를 움직였다.

딱! 따악!

교무실엔 다시 바둑돌 놓는 소리만 울렸다.

"에이……."

결국 패배. 무려 1시간의 접전이 패배로 끝나자 그는 혀를 차며 몸을 일으켰다.

"어우, 취한다."

사다 놓은 소주 3병을 모두 마셔서 그런지 불콰하게 달아오른 얼굴을 한 채 휘청이며 기숙사로 향하는 그.

손전등을 든 그는 불이 모두 꺼진 기숙사 복도를 느긋이 걸었다.

드릉, 드르릉.

"아이고, 고놈들. 잘 잔다."

사방에서 들리는 코 고는 소리에 주임 선생은 미소를 지었다.

그러다 2층 복도에 선 그는 손가락으로 뒤와 앞을 가리킨다.

"어디 보자…… 오늘은 어디부터 갈까. 그래, 오늘은 이쪽이다."

다시 슥슥 걸음을 옮긴 그는 한 방 앞에 섰다.

[윤세진. 요안나.]

명패를 확인한 그는 손잡이를 잡고 돌렸다.

잠기지 않은 게 아니라 애초부터 바깥에서 잠그는 형태의 문.

끼이익!

문을 열고 들어간 그의 눈에 어스름히 두 개의 침대가 보인다.

그는 손가락을 들어 두 개의 침대를 번갈아 가리켰다.

"누구를 고를까요. 알아맞춰 봅시다. 딩동, 댕동. 그래, 오늘은 너다."

주임 선생은 우측의 침대로 다가갔다.

토끼 잠옷을 입고 새근새근 세상모른 채 잠들어 있는 15살가량의 소녀.

손전등을 내려놓은 주임 선생은 소녀의 잠옷 상의를 향해 손을 뻗어 단추를 툭툭 풀었다.

그와 동시에 그의 아랫도리도 묵직해지고, 방금 전까지만 해도 서글서글했던 그의 눈이 붉은빛으로 번들거린다.

그 순간이었다.

"이게 뭐하는 짓이야!"

흠칫 놀라 뒤를 돌아본 그는 머리가 벗겨진 육십대 노인을 발견하곤 한숨을 내쉬었다.

"아, 오셨습니까? 교장 선생님, 그런데 오늘은 혼자십니다?"

"쯧. 술 마셨나?"

"흐흐. 좀 마셨습니다. 죄송합니다. 교장 선생님이 이 방에 오실 줄 알았다면 다른 방에 갔을 텐데."

"에잉, 됐네. 말하지 않은 내가 잘못이지. 난 다른 방에 갈 테니 적당히 해. 저번처럼 피 나게 하지 말고."

"옙. 그럼 좀 이따가 뵙겠습니다."

손을 저은 교장이 나가자 주임 선생은 소녀의 잠옷 바지를 팬티까지 잡아 확 끌어 내렸다.

"우웅."

"쉿."

"흡?!"

소녀의 입을 막은 주임 선생은 이를 드러내며 웃었다.

"다른 아이들에게 들었지? 오늘은 우리 요안나가 선생님이랑 비밀 놀이 하자."

아무에게도 말할 수 없는 비밀 놀이.

말을 해도 다른 선생들은 그럴 리가 없다며, 그런 거짓

말을 하면 못 쓴다며 오히려 혼을 내는 아픈 놀이.

양손으로 입을 틀어막은 소녀는 바들바들 떨며 눈을 감았다.

* * *

평소라면 시끄러운 음악이 울려 퍼졌어야 할 종혁의 차 안에 침묵만이 맴돈다.

쿵! 쿠웅!

결국 치미는 울화를 참지 못한 최재수가 차창에 머리를 박는다.

"시끄러워."

"지금 시끄러운 게 문젭니까!"

"그럼 씨발 새끼야."

"오 경위님!"

"죽을래? 진정 안 해?"

순간 차 안의 분위기가 살벌해짐에 종혁은 담배를 물며 차창을 내렸다.

"······좀 짜증 나네."

왜 그동안 간과하고 있었을까.

2009년, 한 교사가 언론을 통해 밝힘으로 인해 세상에 드러난 끔찍한 사건.

당시 경찰서장뿐만 아니라 교육감의 목이 날아간 엄청난 사건이다.

하지만 이 일이 처음 불거진 건 2006년이다.

그때 한 교사가 경찰에 신고를 했는데 담당 경찰은 그럴 리가 없다며 이를 무시했고, 드러났어야 할 추악한 만행은 그대로 묻혀 버렸다.

'그래선가? 2006년이라고 기억해서인가? 아님 너무 먼 지방에서 일어난 사건이라고 기억이 흐릿해서인가?'

삐드득!

안일했던 자신에게 환멸을 느낀 종혁은 결국 휴가 여행 동안 누르고 눌러 놓았던 분노가 삐죽 고개를 들려 하자 재빨리 핸들을 꺾었다.

끼이익! 빵! 빵!

"씨발! 운전을 어떻게 하는 거야!

"야, 이 개새끼야! 죽고 싶어?"

지나치는 차들이 욕설을 퍼부었지만, 종혁은 핸들에 머리를 박은 채 터지려는 분노를 가라앉히기 위해 애를 써야 했다.

"후우. 후."

아직은 아니다.

지금 터지면 안 된다.

지금 이대로 쳐들어가 묵사발을 만들어 놓으면 속은 시원할망정 제대로 된 처벌을 내릴 수가 없다.

종혁은 애써 마음을 달랬다.

"후우우."

"됐나?"

"……예, 됐습니다. 많이 놀라셨죠? 많이 놀랐지, 최
경장?"

"씨발. 황천길만 안 가면 되지. 바꿔 줘?"

"아닙니다. 그냥 제가 계속 할게요. 오 경위님도 상태
가 영 메롱이잖아요."

종혁은 피가 뚝뚝 흐르는 오경위의 주먹을 눈짓으로 가
리켰고, 그는 헛기침을 하며 주먹을 뒤로 감췄다.

피식 웃은 종혁은 백미러로 최재수를 봤다.

처음 홍익파출소에서 봤을 때의 그 반항적인 퉁한 표정
을 짓고 있는 그.

"최 경장, 지금 먹고 싶은 거. 술 빼고."

술을 먹었다간 제어할 수 없을 것 같음에 종혁은 얼른
덧붙였다. 그에 생각에 잠긴 최재수가 말을 툭 뱉었다.

"다요. 휴게소에 가서 다 먹고 싶습니다. 정말 다."

먹고 먹어 토가 나와야 이 타는 마음을 진정시킬 수 있
을 것 같다.

이런 재수의 말에 종혁은 고개를 끄덕였다.

마침 같은 마음이었기 때문이다.

뭐라도 무거운 걸로 누르지 않으면 터져 버릴 것 같은
분노.

"그래, 다 먹자."

그들은 가까운 휴게소로 향했다.

먹고 토하고, 먹고 토하며 터지려는 분노를 겨우 진정

시킨 그들은 트림을 끅끅 하며 '설화학교'의 교문을 응시했다.

꿀꺽꿀꺽

"끄으윽!"

종혁은 마지막으로 소화제로 속을 가라앉히는 둘을 응시했다.

"주시시킨 거 잊지 맙시다. 우린 어디까지나 수영이와 조상구 선생을 만나러 온 겁니다."

"걱정 마, 인마. 한두 번 하냐?"

"아니, 최 경장이요."

"저도 걱정 마십시오!"

"걱정을 안 하게…… 아니다, 됐다. 차라리 그게 나을 수도 있겠네."

"예?"

손을 저은 종혁은 학교 안으로 차를 몰았다.

"어어? 여긴 함부로 들어오시면 안 됩니다!"

마침 학교 주차장에서 담배를 피우다가 처음 보는 차량이 진입하자 다급히 막아서는 남성의 모습에 종혁은 잠시 차를 세웠다.

"보아하니 근처에 일 보러 오신 분들 같은데……."

어디 이런 고급 외제차를 타고 다닐 만큼 돈 있는 사람들이 이 학교에 아이를 맡길까. 가끔 학교에 들르는 높은 분들도 국산 고급 세단을 탈 뿐이었다.

그래서 막아섰던 남성은 차창을 내린 종혁이 내미는 경

찰공무원증을 보곤 눈을 부릅떴다.

"본청 경찰 이미지 마케팅팀의 최종혁 경감입니다. 조상구 씨와 박수영 양을 만나러 왔습니다. 주소지가 여기던데……."

"조 선생님과 수영이를요?"

벌써 반년도 전에 사라진 두 사람을 찾는 종혁에 남성은 눈을 동그랗게 떴다.

* * *

종혁과 둘은 교무실에 놓인 소파로 안내됐다.

"하진태입니다."

"최종혁 경감입니다. 이쪽은 저희 팀원인 오택수 경위, 최재수 경장입니다."

오택수와 최재수가 인사를 하며 명함을 내밀고, 교무실에 있던 선생들은 호기심 어린 눈으로 그들을 응시했다.

반년도 전에 사라진 둘의 소식을 가져온 사람들이다.

선생들의 눈에 초조함마저 깃들었다.

하진태도 명함을 꽉 쥐며 다급히 입을 열었다.

"조 선생님과 수영이를 찾은 겁니까? 그런 겁니까? 어디에 있습니까!"

약 8개월 전 할아버지 집에 가겠다며 사라져 버린 박수영.

그때 학교가 얼마나 뒤집혔는지 몰랐다.

경찰에 실종 신고도 했지만 오리무중.

그에 참다못한 조상구가 수영을 찾겠다며 퇴직계를 내고 사라져 버렸다.

종혁은 그런 그의 말에 미간을 좁혔다.

"아직 안 왔습니까?"

"예?"

"그럴 리가 없는데…… 분명 학교로 간다고 했는데……."

"그게 무슨……."

"잠시만요."

종혁은 오택수와 최재수를 봤다.

이미 얼굴이 굳어 있는 둘.

종혁은 미간을 더 좁히며, 불길한 느낌이 든 건지 낯빛이 굳어 가는 하진태를 봤다.

"일단 조상구 씨와 박수영 양은 찾았습니다."

"어, 어디서 찾았습니까!"

"박수영 양의 조부님 댁 근처 동네에서 찾았습니다."

"조부가 살아 있었던 겁니까?! 이 못된 양반!"

종혁은 다급히 손을 저으며 그럴 수밖에 없었던 이유를 설명했다.

"치, 치매라니……."

선생들의 눈시울이 붉어진다.

"아무튼 집을 찾지 못한 수영 양은 못된 패거리에게 걸려 고생을 하고 있었는데……."

"무, 무슨……!"

뭔가를 직감한 선생들이 엉덩이를 들썩인다.

"다행히 제자를 포기하지 않은 조상구 씨 덕분에 구출해 낼 수 있었습니다."

"아!"

"하, 다행이다. 다행이야."

"수영아……."

종혁은 머리를 긁었다.

"그런 다음 조상구 씨에게 수영 양의 신변을 맡겼는데…… 음, 이곳에 오지 않은 것 같군요. 혹시 연락받은 거라도 없습니까?"

"아뇨. 아니요. 그런 건 없었습니다."

"그렇습니까? 음……."

종혁은 오택수를 봤다.

"아무래도 납치인 것 같죠?"

"응. 그쪽으로 가능성을……."

"납치라니요! 조 선생님은 그런 분이 아닙니다!"

"맞아요! 그분을 함부로 매도하지 마세요! 그분이 얼마나 착하신 분인데!"

종혁은 불같이 반발하는 선생들을 무심히 응시했다.

"그럼 이 상황을 어떻게 설명해야겠습니까?"

"……."

최재수는 입을 다문 선생들을 둘러보다 종혁을 향해 입을 열었다.

"팀장님, 그냥 납치로 돌리시죠? 솔직히 수영이도 이상한 말을……."

"쉿! 주둥이!"

오택수가 다급히 말을 잘랐지만, 이미 들어 버린 선생들은 고개를 모로 기울였다.

"이상한 말?"

"아니, 아닙니다."

손을 저으며 최재수를 째려본 종혁은 수첩을 갈무리하며 몸을 일으켰다.

"아무튼 협조 감사합니다. 하, 잘 있나 확인하러 왔다가 이게 무슨……."

"쯥. 어떻게 할까? 광수대로 넘길까?"

"일단 생각해 보죠. 그럼 수고하십시오."

그렇게 종혁과 둘은 교무실을 빠져나갔고, 선생들은 그런 그들을 망연히 응시했다.

"……무슨 말인지 알겠어요?"

"글쎄요? 일단 주임 선생님께 연락해 보죠. 조 선생님 소식 들어오면 말해 달라고 하셨잖아요."

"제가 연락할게요."

그들의 표정이 심란해졌다.

한편 차를 몰고 교문을 빠져나와 먼 곳에 주차한 종혁과 둘은 담배를 물었다.

"있었냐?"

뜬금없는 오택수의 말에 종혁은 고개를 저었다.

"아니요. 이상한 반응을 보이는 사람은 없었습니다."

최재수가 던진 키워드에 반응한 사람이 단 한 명도 없다.

"그렇다면 그 주임 선생만이 범인이라는 건데……."

겉으론 천사 중 천사라 인망이 두터운 주임 선생.

그런 그의 추악하고 더러운 짓을 목격한 조상구는 겁에 질려 교장 선생에게 말했지만 도리어 그럴 리가 없다며 혼이 났다고 한다.

그리고 주임 선생에게 협박을 당했다고 한다.

그래서 수영을 데리고 잠적을 한 것이었다.

자신의 말을 들어 줄 사람이 단 한 명도 없기에. 모두 다 주임 선생에게 속고 있기에.

수영을 그 끔찍한 지옥에 데려갈 수 없어서 잠적을 한 것이다.

수영을 찾은 것도 이 주임 선생이 수영을 어떻게 했을까 봐 그랬다는 조상구 선생님.

"이건 말이 안 되잖아."

"예? 뭐가요?"

"이런 씨. 아무리 애들이 자는 시간에 그런 걸 했다지만 애들이 뭐 식물인간이냐? 지적장애인이라도 자기가 뭔 짓을 당했는지는 말할 수 있어! 정신 연령이 떨어지는 거지, 죽은 게 아니라고!"

그런데도 여태까지 들키지 않았다. 이건 묵인을 해 주는 누군가 즉, 공범이 있다는 소리다.

"그렇죠. 공범이 있다고 봐야 되는 거죠."

실제로도 있다.

종혁은 누군지 알지만 아직은 말할 수 없는 단계다.

"하, 씨발. 누구지? 네가 발견 못했다면 그중엔 없단 소린데⋯⋯."

하지만 아직 설화학교 선생들이 누군지도 다 모르는 상황이기에 섣불리 의심을 할 수가 없다.

종혁은 같은 생각이라는 듯 고개를 끄덕였다.

'그놈 말고도 다른 공범이 또 있을 수 있으니까.'

"후. 일단 숙소부터 잡죠."

"그래. 그러자."

그들은 이 도시에서 가장 좋은 호텔로 향했다.

* * *

호텔의 스위트룸, 팬티만 입은 그들은 노트북 앞에 모여 본청에서 보내온 자료를 살폈다.

설화학교 소속 선생들의 프로필 사진이다.

"씨벌. 교무실에서 못 본 인간이 여섯 놈이나 되네."

"이 중 일단 여자는 제외해야 되지 않을까요?"

"⋯⋯하, 재수야. 이 씨부랄 최재수 경장아. 어디 성추행, 성폭행은 남자만 한다디?"

"⋯⋯."

"하, 진짜 이걸 언제 형사로 만들지?"

같은 생각이라 침묵한 종혁은 다시 노트북을 빤히 응시했다.

'일단 이놈은 확실한데…….'

그때였다.

띵동!

"음? 룸서비스 시켰어?"

"아뇨?"

종혁은 의아해하며 몸을 일으켰다.

"예. 누구십니까?"

옷을 입으며 문을 연 종혁은 문 밖에 서 있는 사람들이 내미는 경찰공무원증에 눈을 껌뻑였다.

"조상구 선생 소식을 알고 있다며? 같이 공유 좀 하자."

'조상구? 박수영이 아니라?'

뭔가 핀트가 어긋난 말을 하는 두 명의 형사들.

그들의 몸에서 고약한 냄새가 풍겨 옴에 종혁은 고개를 삐딱하게 기울였다.

'이 새끼들은 또 뭐지?'

따악!

"악!"

종혁에게 반말을 지껄인 젊은 형사의 뒤통수를 후린 사십대 형사가 수더분하게 웃는다.

"아하하. 늦은 시간에 불쑥 찾아와서 미안합니다. 북부서 강력계 모정대 경위입니다."

"……본청 기획조정 산하 경찰 이미지 마케팅팀의 최종혁 경감입니다."

움찔!

두 형사의 낯빛이 살짝 굳는다.

내근직 중 최고의 요직이라 꼽히는 본청의 기획조정.

거기다 이제 이십대 초반으로 보이는 외모인데도 경감이다.

"어이구. 이거 대단한 곳에 계시는 엘리트 간부셨군요."

예상치 못한 거물이었다.

"운이 좋았습니다. 이렇게 서서 이야기하는 것도 그러니 들어오시죠."

"하하, 그럴까요?"

안으로 들어온 그들은 눈을 빛냈다.

함성 소리를 배경 삼아 필드를 달리는 해외 축구가 켜진 TV와 널브러진 소주와 맥주, 안주들. 그리고 황급히 옷을 입고 있는 오택수와 최재수.

누가 봐도 호텔에 쉬러 온 사람들의 모습이다.

'흠.'

그런 그들의 기색을 느낀 종혁은 모른 척 입을 열었다.

"맥주 한 잔 드시겠습니까?"

"맥주 좋죠."

싱긋 웃은 종혁은 최재수를 봤고, 냉큼 일어난 그는 냉장고에서 시원한 맥주들을 꺼내 왔다.

치익! 딱!

"조상구 씨 때문에 오셨다고요."

맥주를 마시던 그들이 캑캑거렸다.

"크흠흠. 정확히는 박수영 학생의 실종 때문에 왔습니

다. 그보다 먼저 묻고 싶은 게 있는데……."

"둘을 어떻게 알게 됐냐고요?"

모정대 형사는 고개를 끄덕였고, 종혁은 사실대로 말했다.

"좌충우돌 파출소 생활기 촬영을 하다가요?"

"웬만하면 내보내려고 했는데, 사안이 사안인지라 편집을 했습니다. 그러다 생각이 나서 찾아왔는데……."

"허어. 어떻게 그런 우연이……."

"아니, 그런 일이 있으면 바로바로 연락을 주셔야 하는 거 아닙니까! 우리가 얼마나 찾았는데!"

"예?"

종혁은 갑자기 화를 내는 이십대 후반의 형사를 보며 미간을 좁혔고, 모정대는 다급히 파트너의 뒤통수를 다시 후렸다.

"형님!"

"제발 닥쳐라, 좀."

"……."

"아하하. 미안합니다. 이놈이 형사가 된 지 얼마 안 된 놈이라."

"아, 그렇습니까?"

그렇게 말했지만 종혁은 불편한 심기를 감추지 않았고, 그건 오택수와 최재수도 마찬가지였다.

모정대는 일을 어렵게 만든 파트너를 죽일 듯 노려봤고, 종혁은 여전히 인상을 구긴 채 입을 열었다.

"큼. 그런데 조상구 씨는 왜 찾으시는 겁니까?"

"아, 그게 박수영 학생 실종 사건에 조상구가 연루된 것 같아서 그렇습니다. 그 양반 소문이 아주 좋지 않거든요."

움찔!

종혁과 오택수, 최재수의 표정이 묘해진다.

"음. 그랬습니까? 후, 그렇게 안 보였는데⋯⋯."

'그런 식으로 꾸미겠다?'

자신들이 여기 있는지 어떻게 알고 찾아왔는지 모르는 인간들이 조상구를 깎아내리고 있다.

냄새가 더 고약해지고 있었다.

종혁은 코를 긁적이며 속으로 입술을 비틀었다.

"그래서 조상구 씨, 아니 조상구가 박수영을 꼬드겨 데리고 나갔다. 그리고 잠적했다. 그렇게 생각하시는 겁니까?"

"예. 그래서 이렇게 결례를 무릅쓰고 찾아왔던 겁니다. 실제로도 그렇게 된 것 같은데⋯⋯."

종혁은 입만 웃은 채 이쪽을 살피듯 쳐다보는 그의 모습에 한숨을 푹 내쉬었다.

"후, 그 부분에 대해선 할 말이 없군요."

"아니, 타박을 하자는 게 아니라⋯⋯."

"피곤하군요. 이제 그만 나가 주시겠습니까? 저희도 서울로 올라가려면 일찍 자야 해서 말입니다."

"⋯⋯늦은 시간까지 결례를 했습니다. 일어나자."

"알겠습니다. 이봐요, 본청 양반들. 거 경고하는데, 남의 구역에서 난장 피우지 말고 조용히 돌아가세요. 알았⋯⋯."

빠악!

"이자식이 진짜!"

"……후!"

결국 치미는 짜증을 참지 못한 종혁은 한숨을 탁 내뱉으며 몸을 일으켰다.

"이, 이놈은 제가 잘 타이를 테니……."

"야, 너 계급 뭐냐?"

모정대는 결국 터져 버린 종혁의 모습에 이마를 잡았다. 하지만 그의 파트너는 아니었다.

"야? 야아?"

삐딱하게 물어 오는 그.

"와, 미치겠네."

어이없다는 듯 웃은 종혁은 정색하며 그의 멱살을 잡아 끌어왔다.

"켁!"

"계급이 뭐냐고, 씨발놈아. 이 나이에 경감을 다는 게 뭔 뜻인지도 모르고 짖는 걸 보니 이제 경장이나 됐을 것 같은데……. 네 경찰 인생, 그 계급으로 끝나게 해 줄까? 아님 네가 있는 팀부터 찢어 줄까?"

종혁은 울고 싶은데 계속 뺨을 때리는 이 견찰 놈을 어떻게 찢어 버릴까 곰곰이 고민했다.

"그, 그……."

"어이구. 같은 식구끼리 왜 이럽니까! 자자, 진정하시고!"

종혁은 필사적으로 파고들어 떼어 놓는 모정대의 모습에 밀치듯 손을 풀었다.

그러곤 모정대를 무심히 응시했다.

"이 사건, 특수나 광수대로 넘길 테니 그렇게 아십시오."

원랜 그냥 가려고 했는데 좆같아서 그래야겠다는 걸 온 몸으로 피력하는 종혁의 모습에 모정대는 순간 이를 악 물었다가 어색하게 웃었다.

"아하하. 진정하세요. 내 얼굴 봐서라도…… 예? 어이 구, 맥주 식습니다."

종혁은 자신을 달래려 애쓰는 모정대의 모습에 혀를 찼 다.

"청장님이 지방서와 화합을 하려고 얼마나 애를 쓰는데……."

"알죠. 다 알죠. 미안합니다. 모두 제대로 가르치지 못 한 제 탓입니다. 이렇게 깊이 사과드립니다."

종혁은 모정대가 허리를 깊이 숙이자 당황했다.

"하아, 알겠습니다. 저도 화가 나서 말이 험하게 나왔 습니다. 죄송합니다."

"그럼 이걸로 잊는 겁니다? 짠?"

종혁은 어쩔 수 없다는 듯 맥주를 부딪쳤고, 단숨에 들 이켠 모정대는 다시 수더분하게 웃으며 스위트룸을 빠져 나갔다. 파트너의 뒷목을 잡은 채 말이다.

쿵!

"아니, 형님. 저를 왜 말리……."

쫘아악!

고개가 돌아간 파트너는 볼을 잡으며 당황했다.

"혀, 형님?"

"닥쳐, 이 개새끼야. 네가 지금 뭔 짓을 하려고 했는지 알아?"

긁어부스럼을 만들려고 했다.

그것도 뒷배가 든든할 게 분명한 엘리트 중 엘리트 간부를 개입시키려고 했던 거다.

더욱이 지금은 순직에 관해 재검사가 들어가는 등 한참 예민한 시기다.

만약 이 일 때문에 피해가 온다면?

그게 소문이 퍼진다면?

오싹!

"씨발. 대가리가 멍청하면 눈치라도 있어야지!"

"죄, 죄송합니다."

"……후우. 넌 여기서 짱 박혀 있다가 저 본청 양반들 도시 떠나는 거까지 확인하고 복귀해. 오줌을 싸든 똥을 싸든 절대 차 안에서 나오지 말라고. 알았어?"

"……예."

"어후. 이런 놈을 파트너라고 데리고 다니는 내가 미친 놈이지."

모정대는 담배를 물며 걸음을 옮겼고, 파트너는 황급히 그의 뒤를 따랐다.

한편 그들이 떠나고 난 스위트룸.

방금 전까지만 해도 불쾌함으로 가득했던 공간이 언제 그랬냐는 듯 싸늘한 냉기와 담배 연기가 맴돈다.

"하, 이 주임 선생 새끼가 제법 인맥이 좋은데?"

거기다 명함을 남겼으니 전화로 물어봐도 될 걸 굳이 힘들게 찾아왔다. 이쪽이 뭘 얼마나 알고 있는지 확인하려 했던 것이다.

들어오면서 내부와 자신들의 모습을 훑었던 그 눈빛이 증거였다.

또한 조상구를 범죄자로 몰며 사건을 은폐하려 들고 있다. 이걸로 이번 일에 경찰이 개입되어 있음이 확실해졌다.

그렇다면 얼마나 많은 사람들이 이 일에 연관되어 있는지 모른다는 뜻도 된다. 사건이 커지고 있었다.

빠드득!

"씨발. 걸어 내도 걸어 내도 이런 새끼들이 있네요. 청장님과 팀장님은 어떻게든 경찰 처우를 개선하려고 그 노력을 하는데…….."

모정대와 다른 형사가 마신 맥주를 버리고 돌아온 최재수의 몸에서 분노가 일렁인다.

그 모습을 일견한 오택수는 종혁을 봤다.

"어떻게 할 거냐? 물러날 거지?"

"그래야죠. 일단 물러나야죠."

지금부터 감시가 붙을 게 뻔한데 엉덩이를 뭉개고 있을 순 없다.

하지만 그렇다고 순순히 물러날 수도 없었다.

종혁은 핸드폰을 들고 자신의 방으로 향했다.

"예, 납니다. 사람 몇 명에게 미행 좀 붙입시다."

수풀을 헤집어 놨으니 분명 어떤 제스처라도 취할 터.

이번 사건은 거기서부터가 시작이었다.

다만 그보다 먼저 해결해야 될 문제가 있었다.

'아이들.'

지금도 고통받고 있을 아이들을 놈들과 떨어트려 놓아야 했다.

이게 먼저였다.

"아!"

뭔가가 떠오른 종혁은 어딘가로 전화를 걸었다.

"하하. 오랜만입니다, 케이코 이사장님. 제가 너무 늦은 시간에 연락드린 건 아니죠?"

이시하라 케이코. 한국 디지털 포렌식의 창시자이자 권위자인 이치로 교수가 재직하고 있는 일본 미나토 대학의 이사장이었다.

* * *

푸르스름한 조명이 내리쬐는 룸.

소파에 앉아 있던 모정대가 문을 열고 들어오는 교장 선생과 주임 선생을 맞이한다.

"내가 좀 늦었습니다, 모 형사."

"아닙니다. 저도 방금 전에 도착했습니다."

"그래요? 허허. 앉읍시다."

상석에 앉은 교장이 모정대에게 양주병을 기울였다.

"요새 좀 어때요. 힘든 것은 없습니까?"

"교장 선생님께서 이렇게 걱정을 해 주시는데 제가 뭐 힘든 게 있겠습니까."

"으허헛. 사람 참. 내가 뭐 해 주는 게 있다고."

"어이구. 해 주시는 게 없긴요. 교장 선생님 덕분에 제 딸도 좋은 대학에 갔는걸요."

"그거야 모 형사 딸이 머리가 좋아서 그런 거지요."

"무얼요. 교장 선생님께서 학원을 알아봐 주시지 않았다면 제 엄마 닮은 그 머리로 가당키나 했겠습니까?"

"으허허허헛!"

너털웃음을 터트리던 교장 선생은 돌연 낯빛을 굳혔다.

"그래서, 어떻게 됐습니까?"

"일단 서울에서 온 그놈들이 돌아간 걸 확인했습니다. 뭔가 눈치챈 것 같진 않으니 너무 심려치 마십시오."

"그럼 조 선생은요? 찾았습니까?"

"지금 한창 수배중이니 곧 잡힐 겁니다. 이 부분도 염려 마십시오."

"그래요. 내 모 형사만 믿겠습니다. 하, 주제도 모르는 미꾸라지 한 놈 때문에 이 무슨 고생인지……. 거 잘 좀 살피라니까."

"하하. 죄송합니다, 교장 선생님. 이게 집중을 하다 보니……."

"말은 청산유수지. 내가 숙부님 보기가 부끄럽다, 부끄러워!"

"아니, 여기서 아버지 이야기가 왜 나옵니까?"

"뭐야? 그래서 지금 잘 했다는 거야?"

"형님!"

"교장 선생님이라고 불러!"

"지금은 밖입니다!"

교장과 주임 선생의 언성이 높아지자 모정대가 다급히 끼어들었다.

"하하. 피가 뜨겁게 끓다 보면 다 그럴 수 있는 거 아니겠습니까. 다음부터 조심하면 되지요. 안 그렇습니까, 주임 선생님?"

"……어흠."

"에잉."

혀를 찬 교장은 품에서 두툼한 봉투를 꺼내 내밀었다.

"아무튼 허튼 말 나오지 않게 잘 부탁합니다. 내가 다치면 나만 다치는 거 아닌 거 알지요?"

"어이구, 그럼요! 제가 핸들 꽉 잡고 컨트롤하고 있으니 염려 푹 놓으십시오! 그분께도……."

"어허! 쓱!"

"아차차."

자신의 입을 때린 모정대는 배시시 웃었고, 눈을 흘긴 교장은 그 술잔에 다시 술을 따라 줬다.

"언제 날 잡아서 놀러 와요. 이번에 들어온 애들이 쫄깃쫄깃하니까."

순간 크게 떠진 모정대의 눈에 붉은 기가 맴돈다.

"그렇습니까?"

"내 특별히 골라 놓을 테니 와서 회포 좀 풀고 가요. 나 랏일 하느라 힘든데 몸보신은 해야죠. 안 그래요? 아 차 라리 후원회 때 오겠습니까?"

설화학교를 후원하는 후원자들을 모아 하는 이브닝파 티, 후원회.

모정대의 눈빛이 더 번쩍였다.

"하핫. 역시 절 생각해 주시는 분은 교장 선생님밖에 없습니다!"

흐뭇이 고개를 끄덕인 교장은 주위를 둘러보며 눈살을 구겼다.

"이거 너무 재미없는 이야기만 한 것 같군요."

짝! 짝!

똑똑!

"예, 부르셨습니까?"

"사람이 들어온 지 얼마나 됐는데 아직도 애들을 안 들 여보내?"

"하하, 죄송합니다. 그럼 아가씨 입장시키겠……."

"잠깐!"

"예?"

"내 취향 알지?"

"아이고, 그럼요. 교장 선생님 취향에 딱 알맞은 애들 로 추렸으니 너무 걱정 마십시오. 자, 다들 들어와!"

우르르!

종업원의 외침에 반짝이 홀복을 입은 앳된 외모의 여성

들이 들어온다.

"그래. 너, 너. 이리 와서 앉아."

간택을 당한 여성들이 양옆에 앉자 교장은 콧속으로 파고드는 살냄새에 음흉하게 웃었다.

그러며 오른 쪽 여성의 가슴에 손을 집어넣으며 입을 열었다.

"우리 아기 소개해야지?"

"호호. 안녕하세요, 미나예요. 18살이에요."

"옳지. 그래, 넌?"

"유나 17살이에요, 오빠."

"으허허허헛!"

교장뿐만 아니라 주임 선생과 모정대의 얼굴도 활짝 핀다.

"그럼 좋은 시간 되십시오."

뒷걸음질쳐서 문을 닫은 종업원은 카악 퉤 침을 뱉었다.

"어우. 씨발, 변태 새끼들. 손녀, 딸뻘인 애들한테 저러고 싶을까?"

진저리를 친 그는 카운터로 돌아갔다.

* * *

"일어나 봐요. 여보!"

"어? 어어."

정신없이 일어난 교장은 멍하니 허공을 보았다.

"아니, 이기지도 못하는 술을 왜 그렇게 마셨데?"

흘겨보는 아내의 눈초리에 교장은 슬그머니 고개를 돌렸다.

"어흠. 남자가 바깥일을 하다 보면 그럴 수도 있는 거지. 됐고, 꿀물 좀 줘 봐. 힘들어."

"에휴. 알았……."

"할아부지! 또 할머니 시켜?!"

"어이구, 우리 강아지! 일어났어?"

후다닥 침대에서 내려온 교장은 얼른 달려가 귀여운 손녀를 번쩍 안아 들었다.

"우리 강아지, 밤새 할애비 안 보고 싶었어?"

"이잉! 술 냄새! 절루 가아!"

"으허허허헛!"

교장은 손녀가 밀어내도 너털웃음을 지으며 부엌으로 향했고, 아내는 그 모습을 보며 못 말리겠다는 듯 고개를 저었다.

"일어나셨어요, 아버지?"

"안녕히 주무셨어요, 아버님."

"그래. 큰애기도 잘 잤니? 밤새 괜찮았고?"

교장이 큰며느리의 부푼 배를 보자 큰며느리는 배를 어루만지며 배시시 웃었다.

"예, 아버님. 우리 샛별이도 할아버지께 인사해야지?"

"그래그래. 허허허허허. 자, 다들 앉자."

어디서나 볼 법한 평화로운 가정의 모습.

아내가 타 준 꿀물을 들이켠 교장이 수저를 들자 그들

일가의 아침 식사가 시작되었다.

그렇게 식사를 마친 교장은 잠시 소파에 앉아 TV를 보며 숙취를 몰아내기 위해 노력했다.

그런 그의 앞에 큰며느리가 과일을 내려놓았다.

"아버님, 이렇게 계셔도 돼요? 오늘 학교에 무슨 일 있다고 하지 않으셨어요?"

"일? 아, 그렇지. 오늘 우리 천사들과 산부인과랑 비뇨기과에 가는 날이지, 참."

나이가 드니 이렇게 깜빡깜빡을 한다.

"잉? 그런 꼬맹이들도 산부인과에 갑니까?"

출근 준비를 하던 큰아들의 반문에 살짝 몸을 굳힌 교장은 이내 한심하다는 표정을 지었다.

"어이구. 저건 아빠라는 놈이 청소년기에 산부인과가 얼마나 중요한지도 모르고……. 미안하다, 큰아가. 다 내 부덕이다."

"호호. 아니에요. 저게 정상이죠. 그래서 아버님이 얼마나 자랑스러운지 몰라요. 아버님, 짱짱!"

"짱짱? 으허허허허허!"

큰며느리도 배시시 웃는 그 순간이었다.

띠리링! 띠리링!

"음? 주임 선생이 이 아침에 왜……. 예, 전화 받았습니다."

―교, 교장 선생님! 지금부터 마음 단단히 먹고 들으십시오!

"대체 뭔데 그렇게 호들갑이야?

-방금 전 일본에서 연락이 왔습니다! 저희 학교를 초대하고 싶다고 말입니다!

"······응?"

-그러니까 일본의 한 대학교에서 저희 설화학교 전교생을 한 달간 초대한답니다! 사회복지학과 학생들로 하여금 다양한 실습 케이스를 경험하도록 만들겠다는 취지인데······.

"뭐야?! 그게 정말이야? 그, 그러면······."

-예! 국가에서 지원금을 더 받을 수 있을 겁니다!

'지원금!'

그가 이룬 부의 근간이자, 인맥의 원천.

'······아니, 아니야.'

어쩌면 대한민국 대표 특수학교로 선정이 될 수도 있다.

그럼 지금보다 몇 배 더 많은 돈과 인맥을 쌓을 수 있다. 어쩌면 그 콧대 높은 교육재단 이사장들과도 어깨를 나란히 할 수 있는 거다.

교장은 주먹을 불끈 쥐며 핑크빛 미래를 그려 갔다.

* * *

서울의 한 어느 오피스텔.

설화학교의 교장이 가당치도 않은 미래를 그리던 그때, 변변한 가구조차 없는 횅한 공간에 놓인 화이트보드에 몇 개의 사진이 붙여진다.

타악!

"이름 서천웅. 나이 72세. 지적장애인 특수학교인 설화학교의 교장으로……."

정장까지 차려입고 브리핑을 하는 최재수의 말에 종혁과 오택수의 이가 갈린다.

주임 선생 서호철. 그 사촌이자 교장인 서천웅.

그리고 모정대 형사.

이 세 명이 유흥주점에서 함께 나오는 사진이 찍혔다.

즉, 세 놈이 한패라는 소리다.

이 말은 곧 72살이나 먹은 비루한 짐승 새끼가 그 어리고 불쌍한 것들을 잔인하게 짓밟고 유린했다는 소리다.

그런데 경악스러운 점은 그뿐만이 아니다.

"사랑산부인과 원장 양종희. 72세. 아이들의 성폭행 흔적을 묵인한 걸로 추정이 되는 인물입니다."

빠드드드드드득!

"그, 그리고……."

타악.

최재수가 마지막으로 붙인 단체 사진 한 장에 종혁과 오택수는 말을 잃었다.

흥신소가 겨우 구한 설화학교 개교 25주년 기념사진 속 정 중앙에서 서 있는 한 인물 때문이다.

"이름 구국명. 현재 현직 3선 국회의원입니다."

쿠웅!

"이런 개씨발!"

콰장창!

오택수는 결국 앞에 놓인 재떨이를 던져 버리며 화를 냈지만 종혁은 아니었다.

회귀 전, 경찰서장과 교육감의 목을 날아간 사건임에도 겨우 징역 2년만 받았던 주범 서천웅. 그것도 다음 해 광복절 특사로 풀려났다.

이미 이런 뒷배가 있다는 것쯤은 알고 있던 것이다.

그런데 여기서 놀라운 점이 있었다.

'이야, 여기서 아는 이름이 나온다고?'

세진은행 해킹 사건 때 이택문을 압박했던 인물 중 한 명이었다.

"이게 이렇게 이어지나?"

재밌었다.

너무 재밌는 나머지 눈앞에 있으면 찢어발기고 싶을 정도였다.

"후, 씨발. 야, 이거 어쩌냐. 이렇게 되면 확실한 증거를 확보한다고 해도 여차하면 묻힐 것 같은데……."

묻히기만 하면 다행이다. 분명 역공이 들어올 터였다.

그런 오택수의 걱정에 종혁은 냉소를 지었다.

'어쩌긴 뭘 어째. 다음 단계로 넘어가야지.'

이제 이들도 다 알게 됐으니 이젠 거침없이 움직일 수 있었다.

"어쩌긴 뭘 어쩝니까? 뒷배가 무서우면 뒷배가 움직일

수 없게 만들면 되는 거지."

그러면서 교장이라는 새끼의 기반을 뺏는 거다. 그럼 확
실한 증거에 힘이 실리다 못해 더 확실한 증거도 나올 터.

"음? 어떻게? 그게 가능해?"

코웃음을 친 종혁은 대답 대신 핸드폰을 들었다.

"예, 권 이사장님. 접니다. 다름이 아니라 혹시 학교 하
나 세워 보실 생각 없습니까? 예, 특수학교로요."

"……이런 미친?!"

오택수와 최재수는 종혁을 보며 경악했고, 종혁은 단체
사진 구석에 서 있는 한 인물을 차갑게 노려봤다.

* * *

날개 없는 천사들을 도울 방법이 없는가!

행복의 쉼터 재단, 특수학교 설립?!

소외받는 자들의 대부, 권회수 이사장! 이번에도 소외
받는 이들을 향해 손을 내밀다!

한국 최고, 최대의 특수학교를 짓겠다!

한때 사채업자였던 그. 누가 그에게 돌을 던지랴!

특수학교 유치에 나선 지자체들! 우리 도시로 오세요!

산하 교육재단을 설립한 행복의 쉼터. 첫 번째 특수학
교가 지어질 위치는…….

오싹!

"빌어먹을!"

서천웅은 신문을 다시 뚫어져라 쳐다봤다.

하지만 신문의 내용은 바뀌지 않았다.

이곳이었다. 이 도시였다.

얼마 전 언론이 갑자기 '우리 주위의 천사들'이라며 장애아들에 대해 다루기 시작해 후원이 늘어서 좋았는데, 좋아할 일이 아니었다.

"교, 교장 선생님! 아니, 형님!"

"입!"

교장실을 박차고 들어온 주임을 향해 일갈을 한 그는 재빨리 핸드폰을 들었다.

"예, 의원님. 저 서 교장입니다. 잘 계셨습니까? 다름이 아니라…….."

─무슨 일로 전화했는지 아는데, 그 부분은 나도 방도를 찾고 있으니 너무 걱정 마세요. 설마 서 교장의 설화학교가 있는데, 내가 눈뜨고 지켜보겠습니까?

믿지 못하냐는 듯 구국명의 목소리가 불쾌해진다.

"허허. 제가 어찌 의원님을 의심하겠습니까. 그저 의원님께서 그 병신들을 측은히 여기셔서 혐오 시설을 짓지 않을까 걱정이 든 것뿐이지요. 저희 시에 쓰레기장은 저 하나로 충분하지 않겠습니까?"

주민들이 동네 집값 떨어진다고 싫어하는 특수학교.

교도소, 쓰레기장과 동급으로 취급되는 혐오 시절 중 하나다.

그 부분을 찌르자 구국명의 목소리가 누그러진다.

-그래요. 쓰레기장은 하나로 충분하지요. 그래서 내가 서 교장에게 얼마나 감사한지 모릅니다.

다가가기조차 싫지만, 꼭 있어야 하는 필요악. 그런 건 하나로 족했다.

구국명이 마음을 완전히 다잡은 것 같자 서천웅은 흐뭇이 웃었다.

"언제 한번 필드에 나가셔야지요?"

-허허허. 알겠습니다. 시간 한번 내 보지요.

"예, 조심히 들어가십시오."

전화를 끊은 서천웅은 무너지듯 의자에 주저앉았다.

"어, 어떻게 됐습니까?"

"다 됐으니 안심하고 교실로 돌아가세요."

"……예! 수고하십시오!"

허리를 꾸벅 숙인 주임 선생이 나가자 자신도 모르게 담배를 물었던 서천웅은 눈을 가늘게 떴다.

"나도 움직여야겠군."

무려 3선이나 한 구국명 의원이기에 믿긴 하지만, 그래도 혼자 움직이는 것보다 둘이 움직이는 게 더 효과가 좋을 터.

재킷을 챙겨 든 그는 교육청으로 향했다.

* * *

"아니, 서 교장님 아니십니까!"

"허허. 오랜만입니다, 서 장학관님."

"어이구, 이게 얼마만이십니까. 이리로 앉으시죠."

청자와 백자들 따위가 놓여 묵직함이 풍기는 사무실의 소파로 안내된 서천웅은 사무실 내부를 둘러보며 속으로 코웃음을 쳤다.

'도자기가 또 늘었구만.'

"아니, 연락도 없이 어쩐 일이십니까."

서천웅은 따끈한 녹차를 내려놓는 그의 너스레에 눈을 가늘게 떴다.

"장학관님, 아니 조카님."

같은 성씨, 같은 파지만 항렬이 낮은 서 장학관.

"아이고, 농담 좀 해 봤습니다. 그 일 때문에 오셨지요?"

서천웅은 그제야 표정을 풀며 고개를 끄덕였다. 그러며 서 장학관의 표정을 살폈다.

웃고는 있지만 한편으론 불쾌해하는 그.

서천웅은 속으로 혀를 찼다.

'딱딱한 놈 같으니.'

"솔직히 내가 싫어서 온 게 아닙니다, 장학관님. 나랑 같은 뜻을 함께할 동지가 늘어난다는데 내가 왜 싫어하겠습니까?"

서 장학관은 고개를 모로 기울였다.

"그럼요?"

"다 지금보다 높은 곳으로 가야 할 장학관님과 교육감님 때문이 아니겠습니까."

움찔!

"음⋯⋯."

서천웅은 입질이 오는 그의 반응에 눈을 빛내며 말을 이었다.

"솔직히 이 좁은 도시에 특수학교가 둘이나 되는 게 말이 됩니까? 과유불급이에요, 과유불급. 솔직히 내가 가져가는 지원 예산이 얼마입니까?"

"많으시죠⋯⋯."

그렇기에 좀 문제다.

여기서 더 예산을 지원해야 된다? 지금이야 주목을 받으니 좋을지 몰라도 나중에 가면 이게 발목을 잡을 수 있다.

"더욱이 내 설화 같은 혐오⋯⋯ 음, 아무튼 좋은 뜻이라도 주민들이 싫어하는 시설을 세우면 표가 모이겠습니까?"

그랬다. 가장 중요한 건 바로 교육감 선거였다.

교육자인 장학관의 입장으로서야 장애아들을 위해 보다 더 좋은 시설이 생긴다니 양팔 벌려 환영할 일이다.

하지만 문제는 주민들의 시선이다.

참담하게도 혐오시설로 꼽히는 특수학교. 아마 도시 내에 설립이 된다면 이 도시의 표가 모두 날아갈 수도 있었다.

"푸후우⋯⋯. 교육감님도 그 문제 때문에 골머리를 썩고 계십니다. 하지만 이렇게 주목을 받는데 마냥 안 된다고도 할 수 없는지라⋯⋯."

"장학관님, 이럴 때일수록 결단을 내려야 합니다. 어차피 시간이 흐르면 그런 일이 있었냐며⋯⋯."

띠리링! 띠리링!

"음? 잠시만요."

서천웅은 일어나는 장학관을 보며 혀를 찼다.

'쯧. 다 넘어왔거늘……'

"헉! 교, 교육감님?! 예예, 예?!"

교육감이란 단어에 귀를 쫑긋 세웠던 서천웅은 이쪽을 밍하니 쳐다보는 장학관의 모습에 고개를 모로 기울였다.

"……예예. 바로 올라가겠습니다. 예!"

서천웅은 전화를 끊는 장학관을 보며 의아함을 드러냈다.

"무슨 일 있습니까?"

"서 교장님, 혹시 들어오시는 길에…… 아닙니다. 일단 저랑 함께 올라가시죠."

"어딜……"

"교육감님께서 서 교장님까지 부르십니다."

"예?"

서천웅은 눈을 끔뻑였다.

그리고 잠시 후 교육감실에 도착한 그는 하얀 한복을 입고 있는 노인을 발견하곤 눈을 부릅떴다.

'저, 저자는?'

권회수. 이 사단을 만든 장본인이자, 자신의 돈을 뺏어 갈 도둑놈이었다.

그런데 교육감실엔 교육감과 권회수만 있는 게 아니었다. 행정부시장까지 와 있었다.

"허허. 안녕하시오. 곧 이웃이 될 권회수올시다."

"……설화학교 교장 서천웅이올시다."

"의외의 장소에서 보니 참 반갑구려. 자, 그럼 올 사람도 다 온 것 같으니 시작해 볼까요? 그래도 되겠소, 교육감님?"

"아이고, 어르신! 말 편히 하십시오! 선배님께 말씀 많이 들었습니다!"

'흡?!'

눈을 부릅뜬 서천웅은 교육감과 권회수를 번갈아 봤다. 불길함이 갑자기 치솟고 있었다.

하지만 여기서 끝이 아니었다.

"예. 말 편히 하시지요, 어르신. 저도 여러 선배님께 말씀 많이 들었습니다."

'이, 이……!'

행정부시장도 권회수를 향해 고개를 숙인다.

서천웅은 순간 눈앞이 아찔해지는 걸 느꼈다.

"허허. 그래도 이렇게 한 단체의 장이 된 분들인데 어찌 함부로 하겠습니까."

"끄응."

권회수는 껄껄 웃었다.

"아무튼 이 뒷방 늙은이 때문에 참 고민이 많은 걸로 알고 있습니다."

"그, 그럴 리가요! 절대 그렇지 않습니다! 그렇지요, 부시장?"

"그럼요. 절대 그런 생각은 하지 않으니 심려 놓으시지요, 어르신!"

가출청소년 쉼터, 행복의 쉼터가 있는 지자체 기관장들에게서 연락이 쏟아졌다. 권회수는 결코 함부로 대할 수 없는 거물이었다.

"허허. 그렇게 말해 주시니 참 감사합니다. 하지만 내마음이 편치 않으니 두 분께, 아니 여기 서천웅 교장까지 세 분께서 납득할 만한 제안을 하고자 합니다."

교육감과 행정부시장은 다급히 허리를 세웠다.

"경청하겠습니다."

고맙다는 듯 고개를 끄덕인 권회수는 입을 열었다.

"내 도심에는 짓지 않으리다."

"예? 그, 그럼?"

"그리고 국가 지원도 최소한만 받으리다."

"어, 어르신!"

"김 비서."

"예, 이사장님."

권회수의 뒤에 시립해 있던 여 비서가 들고 온 가방에서 돌돌 말린 종이를 꺼내 그들의 중앙에 펼쳤다.

그건 거대한 조감도였다.

그걸 본 사람들은 눈을 부릅떴다.

"이, 이건?!"

학교 건물과 운동장, 체육관뿐만이 아니다.

수영장에 체험관, 기숙사 등 마치 대학교의 그것처럼

그려진 조감도.

"반기숙학교 형태를 고수하되 셔틀버스 10대를 운용할 것이고, 아픈 자식들 때문에 경제적으로 힘들 부모들을 위해 주거 시설도 지을 것이외다. 이 정도면 교육감님과 행정부시장님의 앞길에도 지장이 없겠지요?"

"아, 아니……."

교육감과 행정부시장의 얼굴이 확 붉어진다.

반박을 하려던 그들은 다 안다는 듯 푸근히 웃는 권회수의 모습에 결국 항복을 할 수밖에 없었다.

"……괜찮으시겠습니까?"

"껄껄! 지금 돈 귀신의 돈을 걱정하는 겁니까?"

"크흠. 죄송합니다."

농담이라는 듯 손을 저은 권회수는 웃는 눈으로 서천웅을 쳐다봤다.

"서천웅 교장님의 고견은 어떻소? 회개하고자 이 바닥에 뛰어든 나보다 훨씬 전부터 불쌍한 아이들을 위해 헌신을 하신 분이니 내 어떤 말을 하시든 참고하리다."

"그게……."

서천웅은 속으로 이를 악물었다.

'이 빌어먹을 늙은이가!'

외통수다. 이젠 구국명을 움직이는 수밖에 없었다.

그런 생각에 눈빛이 서늘해지는 그의 얼굴을 살핀 권회수는 의뭉스레 웃었다.

"없다면 첫 삽을 뜨는 날 참석하여 자리를 빛내 주시길 바라오. 내 소개시켜 주고 싶은 사람도 있으니. 아, 그건 교육감님과 행정부시장님도 마찬가지입니다. 꼭 참석해 주시오."

"예? 어르신께서 그렇게 말하실 정도시라면……."

"내 잘 봐 달라 부탁해야 될 분들에게 몹쓸 사람을 소개시켜 주겠습니까? 현몽준 당대표께서 참석하시기로 하셨소이다."

벌떡!

'미친!'

교육감, 행정부시장과 함께 일어난 서천웅의 표정은 결국 무너지고 말았다. 그런 그의 모습에 사람들은 의아한 표정을 지었는데, 권회수의 의뭉스런 미소는 더 짙어졌다.

"아, 혹시 다른 쪽 정치인을 좋아하시는가? 껄껄 그러면 어쩔 수 없지. 그럼 우리 좋은 경쟁을 하세나."

'이, 이 개 같은 늙다리가!'

서천웅은 푸들푸들 떨면서도 애써 웃었다.

"하하. 좋은 경쟁이라니요. 불쌍한 아이들을 돕는 일인데 그런 게 어디 있겠소. 그래도 내 참석할 터이니 그때 봅시다. 난 바빠서 이만. 교육감님, 행정부시장님, 서 장학관. 난 이만 갑니다."

"멀리 안 나가리다."

서천웅은 껄껄껄 웃음소리에 이를 부득부득 갈았고, 권회수는 무슨 상황인지 몰라 어리둥절해하는 사람들을 보며 고개를 저었다.

하지만 그 눈 깊은 곳은 시리도록 빛나고 있었다.

'재활용도 하지 못할 종자로구나.'

그러면 태워 버려야 할 터.

권회수의 가슴속에서 오래전 팽을 당한 뒤 다 태워 버리고 흔적만 남았다 생각한 분노의 불길이 다시 타오르기 시작했다.

* * *

"이쪽이야, 애들아. 이쪽!"

"자, 옆 친구 손잡고!"

설화학교 운동장이 떠들썩하다.

여행을 간다고 새 옷을 입은 아이들이 가방을 든 채 옆 친구와 손을 잡고 서 있고, 마음이 놓이지 않아 따라나서기로 한 부모들은 연신 제 자식 이름을 부르며 사진을 찍기 바쁘다.

"철수야!"

"요안나!"

생애 첫 여행.

그 의도가 어찌 됐건 간에 난생처음으로 떠나는 해외여행이기에 그들의 가슴을 누르고 있던 짐이 한결 덜어진다.

아프게 태어나게 만든 것만으로도 죄스러운데 열악한 사정에 뭐든 제대로 해 줄 수 없는 아픈 손가락.

눈물이 찔끔 고인 부모들은 아이들을 끌어안으며 엉덩

이를 톡톡 두드리는 교장을 향해 허리를 숙인다.

"가서 비밀놀이에 대해 말하지 말고."

"네, 네."

"웃어. 웃어야지?"

바들바들 떨며 울상을 짓던 아이가 억지로 웃는다.

"교장 선생님과 약속?"

"야, 약속."

결국 아이의 눈에서 눈물이 툭 떨어진다.

괴물. TV에서 본 것보다 더 무서운 괴물.

하지만 그때 말고는 너무도 잘해 주는 교장 선생님.

이제 안 볼 수있으니까 좋지만, 또 싫기도 한 복잡한 마음에 아이는 울면서 웃는다. 그리고 아이의 부모는 그렇게 교장 선생님과 떨어지기 싫냐는 듯 웃음을 터트린다.

"그럼 조심히 다녀오십시오."

부모들에게 인사를 한 후 돌아선 교장을 향해, 아이들의 부모와 선생들이 아이들의 손을 잡아 올려 흔들었다.

"교장 선생님께 빠빠이 해야지?"

"선생님, 빠빠이!"

"안녕히 계세요!"

아이들이 손을 흔들지만 결코 돌아보지 않는 교장에게 주임 선생이 천천히 다가섰다.

"그런데 교장 선생님. 생각해 보니 이렇게 되면 후원회는……."

후원회뿐이겠는가. 자신들의 취미도 즐기지 못하는 거다.

"당분간 못하는 거지."

서천웅도 그 부분이 아쉽기는 하지만 어쩔 수 없다.

하지만 오히려 호재다.

'권회수인지 지랄인지 하는 인사 때문에 저 병신들의 부모들 마음도 흔들렸을 터.'

내색은 안 하지만 분명 흔들리고 있을 것이다.

그런 상황에서 이렇게 단체 일본 여행을 떠난다. 그것도 내년 2월까지다.

체류하면서 발생하는 모든 비용 역시 그쪽에서 책임지기로 했으니, 거기다 숟가락만 얹으면 어디 도망가지 못하게 붙들 수 있다.

'삼류 대학이나 겨우 나온 무지렁이들이 일본어를 어찌 알겠어?'

설화학교의 교문을 두드리는 부모들은 죄다 그런 부류이다. 형편이 어렵고, 배운 것도 없어서 설화학교가 아니면 안 되는 이들.

"아, 버스 출발합니다."

"교장 선생님, 빠빠!"

"빠빠이―!"

"잘 다녀오너라―!"

뒤늦게 손을 흔드는 아이들을 돌아보며 크게 외친 서천웅은 다시 매정히 몸을 돌렸다.

"이젠 어떡하실 생각입니까? 그 학교 짓는 걸 막지 못한다면서요!"

그랬다. 결국 구국명 의원조차 이 일을 막지 못했다.

그렇지 않아도 장애아들에 동정 여론이 생긴 와중에 행복의 쉼터 재단에서 세우려 하는 특수학교의 크기와 구성이 알려지자, 처음 있었던 지역민들의 반발은 언제 있었냐는 듯 사라졌다.

아니, 오히려 지역에 랜드마크가 생기는 거 아니냐며 환호하기 시작했다.

이런 상황에 이걸 반대하고 나선다?

정치 인생에 타격이 갈 일이었다.

'외곽에 세워지니 타격이 없을 거라고? 지원을 더 빵빵하게 주겠다고? 흥!'

그따위 말을 누가 못하나.

"어쩔 수 있나. 사람들이 도와주지 않으니 다른 방법을 찾을 수밖에."

서천웅의 눈이 위험하게 빛나기 시작했다.

* * *

푸다다다다당!

현몽준 당대표가 와서 첫 삽을 뜬 이후 수십여 대의 중장비들이 돌아다니며 땅을 헤집는 거대한 공사판.

멀리 서서 그 모습을 지켜보던 종혁이 어이없다는 듯 웃었다.

교육재단을 설립하는 것부터 이렇게 공사가 시작되기

까지 걸린 시간이 고작 열흘밖에 걸리지 않아서다.

"정말 대단한 양반이야."

오택수도 고개를 끄덕였고, 그게 무슨 뜻인지 모르는 최재수는 고개를 갸웃거렸다.

"허허. 그걸 이제 아셨는가."

몸을 돌린 종혁은 하얀 한복에 패딩 점퍼를 입은, 하물며 신발까지 나이키 운동화를 신은 권회수의 모습에 웃음을 터트릴 수밖에 없었다.

"잘 어울리시네요."

언제나 새하얀 한복이나 정장만 입을 것 같았던 그였기에 이런 변화가 썩 기껍게 느껴졌다.

"크흠. 쉼터 아이들이 선물로 주는데 어쩌겠는가. 입어야지. 그래, 새로 온다는 팀장님과는 인사하셨고?"

종혁은 고개를 저었다.

"내년 1월 정기 인사이동 때 온답니다, 그 양반."

"몸을 사리는 거구만."

"요직에 앉는 건데 떨어지는 낙엽도 조심해야죠."

인사이동 기간이 아닐 때에, 그것도 많은 화제를 불러일으킨 경찰 이미지 마케팅팀의 팀장으로 갑자기 부임한다면 좋지 않은 시선이 집중될 수도 있을 터.

시간이 걸리더라도 자연스럽게 이동하는 편이 낫겠다고 판단한 게 분명했다.

"아, 이쪽은 제 파트너인 오택수 경위와 최재수 경장입니다."

"허허허. 반갑습니다. 행복의 쉼터 재단 이사장 권회수 올시다."

"오택수 경위입니다."

"최, 최재수 경장입니다! 이사장님 말씀은 많이 들었습니다!"

서울만 해도 거의 두 개 구에 하나씩 있는 가출 청소년 쉼터.

파출소 순경이었던 그가 이 이름을 모를 리 없었다.

"참고로 90년대 초까지 명동 돈 귀신이라 불렸던 분입니다. 아, 밤의 황제라고 해야 할까요?"

흠칫!

설마 자신에 대해 동료 형사들에게 밝힐 줄은 몰랐기에 당황했던 권회수는 종혁을 바라봤다. 그리고 종혁이 괜찮다는 듯 고개를 끄덕이자, 입가에 미소를 띠고는 말을 이었다.

"……허허허. 내 많이 반성하며 살고 있으니 너무 타박하진 말아 주시구려."

"아닙니다. 정말 훌륭한 일을 하고 계십니다."

"예, 예! 과거야 어찌 됐건 현재 이렇게 베풀며 사시는 게 중요한 게 아니겠습니까?"

"그렇게 말해 주시니 고맙구려."

푸근히 웃은 권회수가 공사장을 응시했다.

"그래, 최 경감이 보기엔 어떠신가. 괜찮으신가?"

"말이라고 하세요?"

종혁의 얼굴에도 미소가 맺힌다.

다만 그 속에 죄책감이 숨겨져 있다.

먼저 조치를 취하지 못한 것에서 오는 죄책감.

지금 지어지는 이 학교는 서천웅을 엿 먹이기 위함도 있지만, 사죄의 선물이기도 했다.

"솔직히 좀 더 컸으면 하지만 뭐……."

"허헛. 감당할 돈은 되시고?"

이 학교는 권회수 지분 40퍼센트, 종혁의 지분 60퍼센트로 지어지고 있는 중이었다.

"어이구, 제 돈 걱정을 하십니까?"

드바 로마노프에서 분기마다 보내는 돈만 가지고도 이런 학교 몇 개는 동시에 지을 수 있다.

"허허. 그래, 내 농을 좀 했네. 그럼 이제 가 보시게. 더 있다가는 그 개잡놈들에게 걸릴 수 있을 터이니."

"아, 그 부분은 걱정하지 않으셔도 됩니다. 이 부지 안에 파출소를 하나 짓기로 했거든요."

그곳을 컨트롤센터로 해서 경찰대 생도와 도시 학생들을 상대로 자원봉사 프로그램을 운영하겠다는 기획을 결재받고 오는 길이다.

본청 생활안전국과 경찰 이미지 마케팅팀이 협력하여 진행하는 프로젝트. 그러니 부지를 살피는 건 당연한 일이었다.

여기에 종혁은 그 파출지소를 짓는 것부터 경찰이 개입하면 어떻겠냐 건의도 했는데, 그마저도 결재가 떨어져서 현재 할 일이 없는 경찰 홍보단을 이끌고 내려왔다.

"홍보단?"

"경찰이 머물 파출소는 경찰이 짓는다, 뭐 그런 보여 주기입니다."

여기에 공사장과 인근 순찰도 경찰 홍보단이 담당하기로 결정 났다. 근처 파출소와 관할 서 생활안전계에도 공문이 내려갔으니 종혁은 언제든 이 장소에 합법적으로 있을 수가 있었다.

"허허허."

"그러니 이사장님 걱정이나 하세요."

설화학교 25주년 사진 속에 있던 인물을 떠올린 종혁은 진심으로 말했다.

"잉? 지금 날 걱정하시는 겐가?"

너털웃음을 터트린 권회수는 저 멀리 안전모를 쓴 채 지시를 내리는 정장 입은 오십대 장년인을 향해 손짓을 했다.

"헉헉! 부르셨습니까, 어르신!"

"서로 인사하시게. 앞으로 오다가다 만날 일이 제법 있을 터이니."

"최종혁 경감입니다."

"아, 어르신께 이야기 많이 들었습니다. 서동건설이라는 작은 건설 회사를 이끌고 있는 송춘만입니다."

흠칫!

종혁과 오택수는 그 이름에 반응할 수밖에 없었다.

서동파의 송춘만.

80년대 서울을 주름잡았던 전국구 조직 중 한 곳이다.

그러다 80년대 말 범죄와의 전쟁 때 조직이 박살 났는데, 보스 송춘만은 무슨 거래를 한 것인지 겨우 7년의 징역형만 받았다.

정경 유착의 대표적인 사례 중 하나라며 경찰대에서 가르친 내용이다.

종혁과 오택수의 표정이 나빠지자 권회수가 얼른 입을 열었다.

"내 뒤를 잘 봐주던 친구였네."

"아, 그래서……."

송춘만은 씁쓸히 웃었다.

"그때 어르신께서 이 불한당 때문에 참 많은 돈을 포기……."

"어험. 쓸데없는 소린 하지 마시게."

"아이고, 죄송합니다. 제가 나이가 들다 보니 입이 방정입니다."

"내 앞에서 나이 이야기신가?"

"아이구, 그런 이야기가 아니잖습니까. 크흠. 아무튼 이젠 맘 고쳐먹고 열심히 일하고 있으니 너무 고깝게 보지 말아 주십시오."

"예. 그러겠습니다. 앞으로 잘 부탁드리겠습니다."

종혁이 너무 순수하게 손을 내밀자 깜짝 놀랐던 송춘만은 이내 푸근히 웃으며 손을 맞잡았다.

"그럼 전 바빠서 이만. 날이 추우니 적당히 둘러보고

들어가십쇼!"

그렇게 송춘만이 후다닥 달려가자 권회수가 묘한 표정으로 종혁을 바라봤다.

"이사장님이 보증하는 사람이잖습니까."

"……으하하하하하핫!"

피식 웃은 종혁은 아직도 굳어 있는 오택수를 두드리며 돌아섰다.

'뭐 이것도 빈틈이 없네.'

종혁의 입가에 의미심장한 미소가 번져 갔다.

곧 파라다이스로 변할 테지만, 아직은 황량한 벌판이 그의 등을 떠밀었다.

* * *

프다다다당! 구으으으응!

어둠이 내려앉았음에도 불을 켜진 공사장.

반경 500미터 내에 민가라곤 하나 없기에 공사는 쉴 줄을 모른다.

그리고 그런 공사장이 멀리 보이는 야트막한 동산.

찰칵, 치이익!

"씨부랄."

담뱃불을 붙이던 험악한 인상의 삼십대 초반 남성이 조명이 꺼질 생각을 안 하는 공사장을 보며 짜증을 낸다.

"돈을 얼마나 처발랐기에 지금까지 공사를 해? 신고는

했어?"

남성의 뒤에 서 있던 십수 명의 사람들 중 한 명이 다급히 달려 나온다.

"예, 형님. 했습니다, 형님."

"근데 왜 아직도 공사를 하는데!"

"……더 하겠습니다, 형님!"

"다른 놈들도 다 하란 말이야! 근처 사는 사람인데 시끄러워서 잠을 잘 수가 없다고!"

"알겠습니다, 형님! 야, 너희들도 얼른 신고 넣어!"

"예!"

몸을 돌린 덩치 큰 사내들은 작은 핸드폰을 쥔 채 목소리를 높였다.

그리고 약간의 시간이 흐르자 빨간빛과 파란빛을 번쩍이는 경찰차가 슬그머니 나타나 공사장 안으로 들어갔다.

이후 시간이 더 흐르자 공사장에서 소음이 사라지며 승합차 따위들이 나오기 시작했다.

그에 삼십대 사내는 만족스럽게 웃었다.

"그렇지. 이래야지."

"그런데 괜찮겠습니까, 형님? 알아보니까 저거 짓는다는 늙다리가 끗발 꽤 날린다던데 말입니다."

"씨발, 그래 봤자 구청 주사 놈들이나 굽실거릴 늙다리지. 우리 뒤에 누가 있는지 잊었어?"

경찰이다. 구청에서 아무리 지랄해 봤자 경찰이 안 된다고 하면 찍소리 못할 놈들이었다.

"하지만……."

그것도 인명 사고가 나지 않았을 때의 이야기다.

그들도 공사 하청을 맡아 관리해 본 적이 있기에 안다. 저런 큰 공사장에는 철근 따위를 훔쳐 가지 못하도록 꼭 지키는 사람이 있다는 걸 말이다.

만약 인명 사고가 나면 경찰이라도 온전히 보호할 순 없을 터.

울컥!

"넌 씨발 큰일 앞두고 계속 초 칠래? 이거 회장님께서 직접 내린 명령인 거 몰라?!"

무사히 해내기만 한다면 무려 업장 세 개의 관리를 맡긴다고 했다. 이제 좁디좁은 숙소에서 사료 퍼먹던 지긋지긋한 생활도 끝이란 소리다.

"그런 중요한 순간인데도 이 씨발 새끼가……."

"죄, 죄송합니다, 형님!"

손을 확 들었던 사내는 고개를 숙인 오른팔의 모습에 한숨을 푹 내쉬었다. 이렇게 걱정이 많지만, 그래도 오른팔. 데리고 가야 할 놈이었다.

"후, 됐다. 그 부분도 다 이야기가 된 상태니까 걱정 말고 가자. 후딱 불만 지르고 나오면 되는 거야."

사내는 부하, 아니 숙소의 동생들을 봤다.

"다른 건 신경 쓰지 마. 지키는 놈이 달려 나와서 몸을 잡아당기든 망치로 대가리를 깨든 중장비에 불만 지르고 튀는 거다. 그렇게 몇 번만 하면 너희도 이제 딱 중형차

끌고 다니면서 폼 나게 사는 거야. 알았어?"

"예, 형님!"

"그래. 저기도 불 꺼졌다. 가자."

"야야, 다 기름통 챙겨!"

"놓고 가는 새끼는 죽여 버린다!"

스무 명의 사내들이 조명이 모두 꺼진 공사장으로 우르르 몰려갔다.

그렇게 도착한 불이 꺼져 을씨년스러운 공사장, 거대한 철문이 그들의 앞을 가로막자 사내는 절단기를 든 부하를 봤다.

후다닥 달려 나온 부하는 얼른 커다란 자물쇠를 잘라 냈고, 철문이 기괴한 소리를 내며 감추고 있던 속살을 드러냈다.

사내는 여기저기 공사를 하던 그 모습 그대로 서 있는 중장비들을 보며 입술을 핥았다. 그리고 목소리를 낮춰 말했다.

"명심해 불만 지르고 튀는 거다."

"예."

"좋아. 튀어 가. 각자 하나씩 달라붙어."

타다다다닥!

목표를 포착하고 빠르게 달린 덩치들은 목표 앞에 서서 들고 온 기름통의 뚜껑을 열었다.

쿨렁쿨렁, 쏴아아!

"크."

"큭!"

기름과 신나 냄새가 코를 찌르자 다급히 코를 막았던 그들은 그래도 마지막 한 방울까지 모두 털어 낸 후 불을 붙였다.

푸화아아악!

"왁!"

"우왓!"

신나가 섞여서 그런지 순식간에 불이 순식간에 치솟는다.

그에 기겁하며 물러섰던 그들은 이내 정신을 차리곤 입구를 향해 뛰기 시작했다.

이대로 무사히 현장만 빠져나가면 완전 범죄.

'씨발, 이렇게 쉬워도 돼?'

'너무 쉬운데?'

그들의 입가에 미소가 어리기 시작했다.

그 순간이었다.

펑! 퍼퍼펑!

큰 소리를 내며 조명들이 켜지더니 방금 전 그들이 열고 들어온 공사장 입구 철문을 통해 승합차들이 진입한다.

카르르르륵!

"뭐야!"

"저 새끼들은 또 뭐야!"

당황한 그들은 순간 좆됐음을, 아니 함정에 빠졌음을 깨달았다.

뒤이어 승합차에서 내리는 사람들 사이로 종혁이 걸어

나왔다.

"어이구, 너희들은 어떻게 발전하는 게 ·없냐? 이렇게 불 지르는 거 말고 할 줄 아는 거 없어?"

여유롭게 담배를 문 종혁은 여기저기서 활활 타오르는 중장비들을 보며 혀를 내둘렀다.

신고 전화가 빗발친다기에 혹시나 했는데, 역시나였다.

아니, 정확히는 설화학교 25주년 기념사진 속에서 이 동네 조폭 두목의 얼굴을 본 순간 이미 이 일을 예견했다고 봐야 했다.

'호섭이파 두목 강호섭.'

회귀 전, 종혁이 광수대에 있을 당시 외웠던 이름이었다.

'서천웅 씨발 새끼. 진짜 가지가지 한다.'

종혁은 파도 파도 나오는 무언가에 이를 갈았다.

"씨, 씨발! 넌 뭔데! 짜바리야?!"

"······그래, 내가 너희들한테 뭘 바라겠냐."

나름 조폭이라는 놈들이 잔뜩 쫄아 있는 걸 보니 갑자기 흥이 팍 식는다. 그래도 일은 일.

종혁은 목을 꺾으며 앞으로 나섰다.

"송 사장님은 일 복잡해지니까 나서지 마십시오."

"괜찮겠습니까?"

"양아치가 몰려 봤자 양아치죠. 저희로도 충분합니다. 야, 홍보단. 충분하지?"

"예!"

거의 내근만 전전했던 경찰 이미지 마케팅팀과 달리 경

찰 홍보단은 선수 출신의 경찰들이다. 쇠파이프나 야구방망이 등으로 어깨를 두드리며 이를 드러내는 모습이 아주 믿음직스러웠다.

"그래. 얼굴 안 다치게 조심하고. 최재수 넌 이번에도 코피 터지면 뒤진다."

"아니, 제가 다치고 싶어서……."

종혁은 무시하며 담배를 뱉었다.

"조져!"

"우와아아아아아!"

"씨, 씨발! 우리도 조져!"

"우와아아아아악!"

그렇게 경찰과 조폭 나부랭이들의 격돌이 시작됐다.

"죽여!"

"뒤져, 이 개새끼야!"

죄다 사복이라 누가 경찰이고, 누가 조폭인지 분간이 안 가는 난장판.

뒤로 물러난 삼십대 사내는 다급히 핸드폰을 들어 누군가에게 전화를 걸었다.

"이, 일이 틀어졌습니다. 와, 와 주셔야겠습니다!"

ㅡ알았어. 끊어! 전화번호 삭제하고!

전화를 끊은 사내는 얼른 통화 내역을 삭제하다가 무언가를 느끼고 흠칫 놀라 고개를 돌렸다가 입을 떡 벌렸다.

쩌억!

한 방이다.

싸다귀 한 방, 주먹질 한 방에 부하 한 명씩 정신을 잃고 쓰러진다.

그런 영화에서나 볼 법한 말도 안 되는 짓을 해내는 덩치 큰 경찰이 자신을 응시하며 직선으로 다가온다.

"저, 저 미친 새……."

뻐어억! 쩌억!

"미친 새끼가 뭐? 다음 말은?"

어느새 코앞에 선 저승사자, 아니 종혁.

"씨발 죽어ー!"

사내는 라이터를 쥔 주먹을 휘둘렀고, 고개를 까딱이며 피한 종혁은 그 면상에 주먹을 꽂아 넣었다.

뻐억!

"퀙!"

피를 흩뿌리며 뒤로 튕겨 나가는 사내. 그의 멱살을 움켜쥐어 맘대로 쓰러지지 못하게 한 종혁은 다시 그 주둥이에 주먹을 꽂아 넣었다.

"어후, 씨발 좆같은 새끼야. 내가 너 때문에 이 시간에, 어?"

빡! 빠악!

"그리고 저 중장비가 얼마짜린 줄 아니?"

싹 다 중고라지만, 그래도 기본이 수천만 원이다.

"네 배때지에 있는 거 싹 다 긁어 팔아도 저거 하나 살 수 있을 것 같니?"

이들의 계획을 알아차렸을 때부터 확실한 증거를 위해

태워 버리기로 마음먹었지만, 그래도 수십억이 홀랑 날아가니 속이 쓰렸다.

터억!

"음?"

종혁은 어느새 다가와 주먹을 잡은 오택수의 모습에 눈을 껌뻑였다.

"화풀이는 적당이 해, 인마."

종혁은 뒤를 돌아봤다가 입맛을 다셨다.

"아오, 이 근성 없는 새끼들."

붙은 지 얼마나 됐다고 다 바닥을 기고 있다.

말만 조폭이지, 뽕쟁이들보다 깡다구가 없는 놈들이었다.

혀를 차며 사내의 멱살을 놓은 종혁은 담배를 물었다.

"다친 사람 손!"

"없습니다!"

"오케이."

최재수도 숨을 거칠게 몰아쉴 뿐 어디 다친 것 같지는 않았다.

바닥에 떨어진 핸드폰을 주워 주머니에 넣은 종혁은 채 연소되지 못하고 끝나 버린 싸움에 불퉁한 표정을 지었다.

그때였다.

삐용삐용!

저 멀리서 사이렌 소리가 다급하게 울린다.

"어이구, 빨빨거리며 기어 오는 것 봐라."

종혁의 표정은 더 불퉁해졌다.

그건 내막을 알고 있는 오택수와 최재수도 마찬가지였다.

* * *

좌르륵! 좌륵!

경찰 관용차 두 대와 승용차 한 대가 공사장 안으로 진입한다.

"모두 꼼짝……."

승용차를 세우자마자 뛰어내렸던 모정대는 뭔가 이상한 분위기에 미간을 좁혔다가 종혁을 발견하곤 기겁했다.

'무, 무슨?!'

종혁은 놀라는 그를 향해 다가가며 손을 들었다.

"아이고, 오랜만입니다?"

"이, 이게 어떻게 된 겁니까?"

'네가 여기에 왜 있는 건데!'

그리고 낯이 익은 놈은 왜 수갑을 찬 채 바닥을 기고 있는지 모정대로선 모든 게 의문이었다.

"잉? 공문 못 받으셨습니까?"

"무, 무슨 공문 말입니까?"

"어우, 진짜 모르시나 보네. 흠, 이걸 어디서부터 설명하지? 귀찮은데……."

한숨을 푹 내쉰 종혁은 사정을 설명했고, 모정대는 눈

을 부릅떴다.

"무, 무슨……! 그런 일을 왜 관할 서에……."

"공문을 보냈다고 방금 말씀드렸습니다만? 본청 차원에서 이미 다 조정된 일입니다."

"아니, 본청이라고 이렇게 처리해도 되는 겁니까?!"

종혁은 반발하는 그의 모습에 재차 한숨을 내뱉었다.

"어쩌겠습니까, 중요한 프로젝트라는데. 아니, 씨발. 말하다 보니 열 받네? 형사님, 형사님도 생각해 보세요. 대체 이거랑 경찰 이미지랑 무슨 상관입니까? 예? 내가 진짜 더러워서, 씨발."

"아, 아니……."

모정대는 억울해 미칠 것 같은 종혁의 모습에 주춤 거리며 물러났다.

"아오! 씨발, 진짜. 응? 잠깐? 그런데 형사님, 여기가 북부서 관할이었던가요? 여기 동구 아니었나?"

움찔!

차갑게 응시하는 종혁의 시선에 순간 입을 다문 모정대는 어색하게 웃었다.

"하하. 마침 근처에 있다가 무전 받고 달려왔습니다."

"아, 그런 거셨구나."

입맛을 다신 종혁은 고개를 숙였다.

"이거 민폐를 끼쳐 드린 것 같습니다. 하, 저런 양아치 새끼들은 아주 싹 다 죽여 버려야 하는데……."

"하하, 그렇죠. 저희도 골치가 아픕니다. 그런데 저놈들이 왜 여길 습격했는지 아십니까?"

"글쎄요. 뭐 이 공사가 마음에 안 드는 누군가의 소행 아니겠습니까?"

가라앉은 눈으로 종혁을 살피던 모정대는 이내 활짝 웃었다.

"하하. 역시 그렇겠죠? 그럼 저놈들은 저희가 데려가겠습니다."

"예, 그래 주시면 감사하죠. 아, 참고로 저기 계신 서동건설 관계자분들은 손 하나 까딱 안 하셨으니 저놈들만 데리고 가시면 됩니다."

그렇게 말하며 종혁이 내민 수갑 열쇠를 받아 든 모정대는 다른 경찰들에게 손짓을 했고, 수갑이 교체된 조폭들은 모정대들이 끌고 온 차량에 실리기 시작했다.

그렇게 차들이 떠나자 저 멀리서 소방차 사이렌 소리가 희미하게 들리기 시작했다.

그에 종혁은 피식 웃었다.

"마침 근처에 있기는."

놈들이 불을 지르자마자 119에 신고를 했는데 그보다 빨리 왔다. 놈이 전화를 어딘가로 걸기에 혹시나 싶었는데 역시나 일이 잘못됐을 때를 대비해 근처에 있었던 거다.

"팀장님."

"응?"

"저 새끼들 저렇게 보내도 되는 겁니까? 쟤들한테 알아야 할 게 있지 않아요? 저렇게 보내면……."

종혁은 왜 이런 결정을 내린지 모른다는 듯 심각한 표정을 짓는 최재수의 모습에 손을 저었다.

"됐어, 귀찮아."

딱 봐도 아직 숙소 생활을 벗어나지 못한 놈들이다.

지금은 비록 사료를 먹으며 고생하고 있지만, 잘나가는 선배들을 보며 성공에 대한 갈망만 가득할 시기.

조직에 대한 충성도가 가장 높을 시기.

그렇기에 입을 열게 만드는데 시간이 오래 걸린다.

거기다 모정대가 개입할 게 뻔한데 이쪽에서 뭔가를 알고 있다는 뉘앙스를 풍겼다간 많은 부분이 어그러진다.

"그럼 어떡하시게요. 쟤들 윗선이 누군지도 모르잖아요."

"왜 몰라? 여기 다 있는데."

종혁은 방금 주운 핸드폰을 보여 주었다.

"보자, 여자 이름이……. 아, 여기 있네."

혹시나 경찰에게 붙잡혀 핸드폰을 뺏겼을 때를 대비해 윗선을 다른 이름으로 짓는 조폭들의 습성.

자기들 딴에는 나름 머리를 굴린다고 굴리지만 이미 형사들은 그들의 머리 꼭대기에 앉아 있다.

형사 생활이 오래된 종혁은 말할 것도 없다.

여자 이름만 골라 전화를 걸다가 여자가 받으면 끊기를 반복한 종혁은 고작 세 번째에 남자가 받자 눈을 빛냈다.

"네, 여보세요? 제가 방금 핸드폰을 주웠는데, 가장 웃긴 이름이라서 연락드린 거거든요? 짧아짧아 3센티라고요."

최재수는 순간 풉 하고 터진 입을 재빨리 틀어막았다.

-뭐, 이 개새끼야?!

"아니, 왜 저한테 화를 내세요? 그렇게 저장된 건데…… 씨발. 그래도 계속 욕을 하네? 야, 이 씨발 당나귀좆같은 새끼야! 누군 욕할 줄 몰라서 안 해?! 너 어디야! 그래? 너 씨발 딱 기다려!"

　종혁은 최재수와 경찰 홍보단을 보며 어깨를 으쓱였다.

"봤지?"

"푸하하하하핫!"

　피식 웃은 종혁은 이번엔 자신의 핸드폰을 꺼내어 누군가에게로 전화를 걸었다.

"예, 대철 삼촌. 어디세요? 아, 거의 다 오셨다고요? 예, 이따가 호섭이 주소 보내 드릴 테니까 그쪽으로 가시면 됩니다. 옙! 그럼 이따가 뵙겠습니다."

　전화를 끊은 종혁은 이미 준비가 끝난 그들을 보며 입술을 비틀었다.

"가자. 이 밤 끝나기 전에 애들 다 따려면 시간 없다."

"옙!"

"그럼 송 사장님도 수고하십쇼!"

　차에 올라탄 그들은 종혁이 알아낸 주소를 향해 달리기 시작했다.

＊　＊　＊

　가로등 불빛이 듬성듬성 켜진 놀이터 안.

덩치가 큰 다섯 명들 사이에서 담배를 뻐끔뻐끔 피우던 삼십대 중반의 사내가 헛웃음을 터트린다.

"……하, 이 개새끼."

중요한 작전에 나가면서도 핸드폰을 잃어버린 놈이나 그 핸드폰으로 도발을 한 놈 모두 찢어 죽일 놈들이었다.

'3센티? 3센티이?'

"야, 이따가 이 새끼 오면 다리 하나 분질러 버려."

"형님, 혹시 짭새가 아닐까요?"

움찔!

"……아냐. 그 느낌은 아니야."

거기다 이미 뒤를 봐주는 형사가 그쪽에 가 있다.

뭔가 어그러졌으면 연락이 와도 벌써 연락이 왔을 터.

그쪽은 통제가 확실하기에 그럴 리가 없다. 또 누군가 자신들 조직을 조사한다는 소식이나 낌새도 없었다.

띠리링! 띠리링!

"야, 이 씹새끼 왔나 보…… 헉! 예, 형님. 전화 받았습니다, 형님."

-야. 방금 전에 모 형사 이 씹새끼한테 연락이 왔거든? 불은 지르긴 질렀는데, 본청에서 내려온 경찰 이미지 뭐? 암튼 좆도 아닌 것 같은 새끼들한테 털렸단다.

경찰이라고 다 같은 경찰일까.

아니다. 그들이 무서워하는 건 어디까지나 형사지, 책상에 앉아 컴퓨터나 두드리는 비리비리한 놈들이 아니다.

경찰 이미지 마케팅팀. 누가 봐도 홍보 쪽, 즉 내근직이다.

"그렇습니까, 형님? 걔들은 왜 왔다고 합니까, 형님?"

―몰라. 뭐라고 설명은 했는데…… 넌 씨발 애들 관리를 어떻게 하기에 내근하는 애들한테 털리게 만드는 거냐?

"죄, 죄송합니다. 열심히 하겠습니다, 형님!"

―쪽팔리게 씨발. 아무튼 다행히 뭔가 불기 전에 잡혔다고 하는데, 이런 날일수록 사고 치면 안 되는 거 알지?

"예. 지금 바로 들어가겠습니다, 형님."

―잘하자. 끊는다.

"들어가십시오, 형님!"

통화가 끊긴 핸드폰을 향해 허리를 꾸벅 숙인 그는 한숨을 탁 내뱉었다.

"야, 이 개새끼 오면 팔까지 분질러 버려."

"예, 형님."

그 순간이었다.

띠리링! 띠리링!

"어, 이번엔 이 새끼 전화네. 그래, 이 개새끼야. 어디냐?"

―여기―!

"여기―!"

흠칫!

소리가 겹쳐서 들리기에 깜짝 놀란 그는 주위를 둘러봤다가 당황했다. 마치 포위망을 좁히듯 사방에서 어둠을 헤치며 걸어 나오는 11명의 사내들.

범상치 않은 덩치들에서 결코 낯설지 않은 향기들을 풍긴다.

"씨, 씨발…… 짭새?"

종혁은 당황해 주춤거리는 그들을 보며 씩 웃었다.

"야, 내가 어떤 이름이 적힌 장부 좀 찾으려 하는데, 너희 대가리 위치를 모르거든? 누가 알려 줄래? 참고로 선착순이다."

만약 여기서 누군가 운 좋게 도망쳐서 우두머리가 도망을 치게 했다간 그 모든 죄를 너에게 뒤집어씌워 버리겠다는 말이 함축된 질문에 그들은 고개를 푹 숙였다.

"……씨발."

그리고 모두 동시에 손을 들었다.

* * *

"끄응! 끙!"

신음이 울리는 5층 빌딩 안.

5층에 들어선 종혁과 오택수, 최재수는 피투성이가 된 채 바닥을 뒹구는 덩치들과 그들에게 수갑 채우는 특수범죄수사과와 광역수사대 형사들을 지나쳐 안쪽의 사무실로 향했다.

"왔어?"

종혁은 머리를 맞았는지 피를 흘리며 손을 흔드는 박대

철을 보며 한숨을 내뱉었다.

"우리 올 때까지 기다리라니까요."

"됐어. 몇 놈이나 된다고."

특수학교 공사장에 불을 지른 것 때문에 호섭이파 조직원 대부분이 몸을 사리고자 퇴근을 한 상황이었다. 이 건물에는 몇 놈 남아 있지도 않았다.

"쯧. 그거예요?"

"어. 이야, 이거 재밌는데? 아는 이름이 몇 개 보여. 너도 봐 봐."

당연하다는 듯 고개를 끄덕인 종혁은 넘겨받은 뇌물 장부를 살피다 입술을 비틀었다.

서천웅, 구국명, 모정대.

이 세 놈의 이름이 떡하니 적혀 있다. 빼도 박도 못하게 전화번호까지.

종혁은 한쪽 구석에서 무릎 꿇고 손 들고 있는 송호섭 앞에 쪼그려 앉았다.

뭐가 그렇게 분한지 씩씩거리는 그.

"호섭아. 스물다섯 바퀴 돌래, 아님 열다섯 바퀴 돌래."

25년 형과 15년 형. 올해 쉰 살의 송호섭은 이를 악물었다.

"씨발, 형사님들아. 너희 나 잘못 건드렸어. 내 뒤에 누가 있는지 모르지? 지금이라도 물러나는 게 좋을 거야, 이 개새끼들아!"

피식.

종혁은 그의 협박에 가소롭다는 듯 웃었다.

"호섭아, 이렇게 처맞아도 상황 파악 안 되는 븅신아. 설마 본청 특수와 광수대가 너 하나 잡겠다고 이렇게 우르르 몰려왔겠니? 너 따위를? 에이, 우리 호섭이 자기애가 너무 강하시다."

흠칫!

'씨, 씨발. 그럼?'

종혁은 눈동자가 흔들리는 그를 향해 이를 드러냈다.

"협조하고 열네 바퀴 돌래? 협조 안 하고 스물여섯 바퀴 돌래?"

호섭이파 두목 송호섭은 결국 고개를 숙일 수밖에 없었다.

웅성웅성.

어느새 모여든 사람들이 기웃거리는 건물 밖.

수갑이 채워진 채 차에 태워지는 조폭들을 보며 담배를 물던 종혁에게 박대철이 다가온다.

"이거 제가 너무 큰 짐을 안겨 드린 게 아닌지 모르겠네요."

구국명은 현직 3선의 국회의원이다.

"구국명은 뇌물 장부의 존재를 모른다지만……."

적극 협력을 하기로 한 송호섭도 뇌물 장부에 대해 말하진 않을 테지만, 아마 믿진 않을 거다. 분명 송호섭을 풀어 주라며 압력을 행사할 게 뻔했다.

"야. 장난해?"

박대철은 짜증을 가득 담아 종혁을 노려봤다.

만약 그냥 송호섭만 검거한 거라면 그런 압박을 받을지도 모른다. 하지만 방금 전 서천웅의 사주를 받고 중장비를 불태운 호섭이파 조직원들을 검거한 상태다.

이런 범죄를 저지른 놈들을 비호한다?

그럼 구국명 스스로 자신이 구린 짓을 하고 있다는 걸 드러내는 꼴이다. 즉, 구국명은 나서기가 힘든 상태라고 봐야 했다.

아니, 종혁이 상황을 그렇게 만들어 놓은 거다.

"흐흐. 제가 너무 겁을 줬나요?"

능글맞게 웃던 종혁은 돌연 낯빛을 굳혔다.

"하지만 그래서 더 이 악물고 달려들 거예요."

일이 복잡해졌기에 어떻게든 송호섭을 빼내려고 들 터였다. 특수범죄수사과 형사들을 건드릴 확률이 컸다.

"그건 맞지만…… 후, 됐다. 뭐 어떻게든 되겠지."

이런 것도 각오하지 않고 내려왔을까.

그동안 종혁이 해 준 것에 비하면 그런 압력을 버티는 건 아무것도 아니다. 그 끝이 결국 징계나 좌천이라고 해도 말이다.

"과장님도 같은 생각이니까 넌 우리 신경 쓰지 말고 그 개새끼들이나 잡을 생각해."

'대철 삼촌…….'

특수범죄수사과의 형사들이라면 구국명의 ·압박에서도 버텨 줄 거라 믿기에 부탁한 거지만, 이런 각오까지 했을 줄은 몰랐던 종혁은 이를 악물었다.

"그보다 자신 있냐?"

박대철도 내막을 들었을 때 피가 거꾸로 솟는 걸 느꼈다.

하지만 문제가 있다. 서천웅은 국회의원만큼 건드리기가 힘든 인망이 자자한 교직자다. 그것도 불쌍한 장애아들을 위해 일평생을 헌신한 인물.

게다가 성범죄 사건은 피해자의 의지가 중요한데, 이 성범죄 사건은 친고죄에 해당하는 범죄라는 거다.

피해 당사자나 법정 대리인이 고소를 하지 않는 이상 공소를 제기하는 게 불가능하다.

즉, 피해 사실이 확실시된다고 해도 부외자인 종혁이 손쓸 수 있는 방법은 없었다.

그런데 이보다 더 큰 문제가 있다.

"부모님들 빨리 설득할 수 있겠어? 뜬금없이 나타나 아이들이 이런 일을 당했다 말을 해도 부모들이 믿겠어? 갑자기 나타난 경찰보다 교장을 더 믿을 텐데?"

뜬금없이 나타난 경찰보단 지금까지 아이들을 보살펴 준 서천웅을 더 믿을 확률이 큰 부모들.

박대철은 그 부분을 꼬집고 있었다.

"뭐 어떻게든 해야죠."

그 부분에 대해서도 생각해 놓은 방법이 있긴 하다.

하지만 불확실하기에 아직 말할 수는 없다.

"뭐, 인마?"

일을 이렇게까지 벌여 놓고도 계획이 없는 듯한 모습에

박대철은 황망한 표정을 지었다.

"그래도 일단 뇌물로 엮을 순 있잖아요? 이게 어디예요?"

일본에서 귀국하면 다시 설화학교로 돌아오게 될 아이들.

하지만 송호섭과 서천웅이 뇌물을 주고받은 증거가 발견됐으니 본격적인 수사에 들어가면 다시금 떼어 놓을 수 있을 터였다.

'지원금 착복.'

막대한 지원금이 나올 텐데도 깨진 유리창조차 교체하지 않은 게 정황 증거이며, 실제로도 회귀 전 그는 성폭행뿐만 아니라 지원금을 착복해 사적으로 쓴 증거가 발견되어 처벌받았다. 그의 사촌동생인 주임 선생 역시도.

그럼 아이들은 자연스럽게 권회수가 짓고 있는 특수학교로 편입시킬 수 있을 터.

"그래, 씨발. 안 되면 개 같고 좆같을 테지만 그게 어디……."

박대철은 그 이상 말을 잇지 못했다.

그게 어디긴 뭐가 어딘가.

이런 놈들은 어떻게든 잡아 처넣어서 법의 엄중한 심판을 받게 만들어야 한다. 그래서 자신들이 뭔 죄를 저질렀는지 확실히 알게 해야 됐다.

"야, 최종혁. 그 새끼들 꼭 잡아. 네가 잘하는 돈질을 더 해서라도 꼭! 알았어?"

"……걱정 마세요. 그럴 테니까."

방금 전 말은 그렇게 했어도 어떤 수를 써서든 잡아 처넣을 것이다.

'무슨 수를 써서든 꼭 잡아…….'

웅성웅성!

"비켜요, 비켜!"

눈빛을 위험하게 빛내던 종혁은 경찰공무원증을 내밀며 슬그머니 폴리스라인 안으로 들어오는 모정대 형사를 보며 입술을 비틀었다.

"일단 저 새끼부터 잡고요."

깡패에게 뇌물을 받은 형사.

저놈만큼은 지금 현장에서 체포할 수가 있었다.

빠드득.

"그래야지. 저놈은 우리가 딸 테니까 넌 이만 가 봐."

특수와 광수대가 호섭이파를 검거한 걸로 해야, 공사장에서 종혁이 놈들을 검거한 것과 송호섭 검거가 관련이 없는 것처럼 보여야 종혁이 움직이기가 편할 터.

종혁은 자신이 불렀음에도 압력을 나눠 받을 수 없는 것에 입술을 깨물었다.

"부탁드릴게요."

고개를 꾸벅 숙인 종혁은 몸을 돌려 근처에 세워 둔 차로 향했고, 오택수와 최재수가 다가왔다.

"모정대 씨, 일단 저희랑 같이 가시죠."

"뭣?! 왜, 왜 이럽니까!"

"조용히 가자고."

"이런 씨! 본청이면 이래도 됩니까!"

종혁은 멀리서 들리는 소리에 아까 전 못다 피운 담배에 불을 붙였다.

"후우우. ……가죠, 일본으로."

차에 오른 그들은 인천공항으로 향했다.

* * *

"뭐? 누가 잡혀가?"

늦은 밤, 당사에서 돌아와 따뜻한 녹차로 무거워진 머리를 달래던 구국명이 눈을 껌뻑였다.

"호섭인력개발의 송 대표와 모정대 형사가 잡혀갔다고 합니다."

송호섭. 구국명의 지역구에 자리한 깡패이자, 몇 번 어두운 일을 해결하며 입안의 혀처럼 굴던 놈이다.

모정대 형사는 말할 것도 없다.

"……어쩌다?"

"광역수사대의 지원을 받은 특수범죄수사과에서 둘을 함께 데려간 걸 보니 아무래도 그 개발 건 때문인 것 같습니다."

구국명은 얼굴을 와락 구겼다.

현재 그의 지역구 외곽 쪽에 아파트 단지가 건설되고 있는데, 그 부지를 매입하는 과정에서 땅을 팔지 않으려는 주민들 때문에 송호섭을 쓴 적이 있다.

그리고 그 폭력 사건을 무마해 준 게 모정대 형사다.

애초부터 차명으로 사들였다가 판 땅이라서 송호섭과 구국명이 연결된 증거는 없지만, 혹시라도 송호섭이 불기라도 한다면?

'빌어먹을.'

일단 빼내야 한다. 그래야 송호섭의 입을 다물게 할 수 있을 터.

구국명은 다급히 핸드폰을 들었다.

그때였다.

띠리링! 띠리링!

발신자를 확인한 그는 다시 얼굴을 구겼다.

"쯧. 예, 여보세요?"

ㅡ크흠. 의원님. 접니다, 서천웅 교장.

"아이고, 서 교장이 이 시간엔 웬일입니까?"

ㅡ크흠. 이렇게 늦은 시간에 연락드려서 정말 죄송합니다, 의원님.

"아니에요. 우리 사이에 늦고 빠르고가 어디 있습니까?"

말은 그렇게 했지만 구국명은 전화를 끊고 싶었다. 아니, 애초부터 전화를 받고 싶지 않았다.

하지만 권회수의 특수학교 설립을 막지 못했기에 어쩔 수가 없었다.

"그보다 무슨 일이에요?"

ㅡ그게…… 후, 아무래도 제 사촌동생이 사고를 친 것 같아서 말입니다.

구국명은 미간을 좁혔다.

"사고요?"

―예, 그게…….

서천웅은 사정을 설명했고, 구국명은 벌떡 일어났다.

"뭐요?! 뭘 어째요?"

호섭이파를 동원해 권회수의 특수학교 공사장에 있던 중장비를 모두 불태웠다고 한다. 지금 서천웅은 그것 때문에 송호섭과 모정대가 잡혀간 건 아닌지 걱정을 하고 있는 것이었다.

"이런 개! 당신 미쳤어?!"

곁에서 알랑방귀나 뀌던 놈이 선을 넘었다.

송호섭은 어디까지나 구국명 본인이 키우는 사냥개. 서천웅이 함부로 움직일 수 없고, 그래서도 안 되는 존재다.

―죄, 죄송합니다! 정말 죄송합니다! 저도 모르게 사촌동생 놈이 그만…….

'퍽이나!'

"……후우! 알았으니까 일단 잠깐 끊어 봐요."

전화를 끊은 구국명은 뻣뻣해진 뒷목을 주물렀다.

'이런 개 같은!'

일이 복잡하게 됐다.

안 그래도 송호섭을 빼내려고 했는데, 이젠 어떻게든 빼내야 하는 상황이 된 것이다.

만약 송호섭이 서천웅을 입에 담는다면, 그 일이 자신에게까지 연결된다면?

자신의 정치 인생은 그대로 끝장날 수도 있었다.

'이 주제도 모르는 포주 놈이 결국…….'

"일단 송호섭이한테 변호사 붙여서 절대 그 입에서 나와 서천웅 이 개새끼의 이름이 나오지 못하게 해."

"예."

"서 교장도 이제부터 자네가 관리하고."

서천웅이 갖다 바치는 돈이 세법 달달하긴 하지만 이쯤에서 선을 그어야 할 듯했다.

이러한 아슬아슬한 관계를 계속해서 이어 나가기엔 놈이 쥐고 있는 자신의 약점이 너무도 치명적이었다.

"그리고…… 특수범죄수사과라고 했던가?"

"뒤를 팔까요?"

"사돈에 팔촌까지 모두. 비리란 비리는 싹 다. 거짓으로 꾸며 낸 것이라도 좋으니까 그놈들이 절대 사건을 맡지 못하게 만들어."

그래야 송호섭을 빼낼 수 있다.

구국명의 눈빛이 차갑게 가라앉았다.

* * *

쏴아아!

가을비가 내려 더 서늘한 경시청 안.

무심한 표정으로 뚜벅뚜벅 걷는 무로이를 향해 로비를 걷던 경시청 형사들이 거수경례를 한다.

"음."

계속된 그들의 인사에 고개만 까딱이며 걸음을 멈추지 않는 그.

"크. 역시 무로이 경부! 카리스마가…….”

"이번 세대의 리더잖아."

멀리서 그 모습을 바라보던 젊은 형사들은 하나같이 감탄사를 토했다.

미궁에 빠진 강력 사건을 줄줄이 해결하고 있는 프로파일링 수사과를 창설시키고, 그 프로파일링 수사과의 계장을 맡고 있는 무로이 쿄헤이.

경부가 된 지 얼마 되지 않았음에도 내년 경시 진급이 가장 유력한 간부이자, 미래의 유력한 경시총감 후보인 그를 향해 젊은 형사들은 선망의 눈길을 보낼 수밖에 없었다.

그러던 그때, 그들은 순간 경악했다.

수사에 관한 일이라면 좀처럼 입을 열지 않는다 하여 과묵한 리더라 불리는 무로이가 갑자기 환한 미소를 지었기 때문이다.

'헉! 저, 저 무로이 계장님이?'

그들은 무로이의 시선이 향해 있는 경시청 입구를 보곤 고개를 모로 기울였고, 무로이는 오늘도 여전히 덩치가 헤라클래스만큼 큰 종혁을 보며 양팔을 벌렸다.

"종혁."

"쿄 형!"

종혁과 무로이는 서로를 와락 끌어안았다.

그에 경시청 로비가 약간 시끄러워졌지만 무시한 종혁은 정말 감사하다는 눈빛을 보냈다.

"무리한 부탁을 들어줘서 고마워요."

"뭘 우리 사이에. 아, 다시 한번 경감이 된 걸 축하해. 이젠 같은 계급이네."

"그럼 뭐해. 내년에 경시로 진급할 확률이 높다면서요? 배경 좋다고 자랑하는 것도 아니고⋯⋯."

"하핫!"

종혁도 장난이라는 듯 웃었다.

"쿄 형도 프로파일링 수사과를 창설한 거 축하해요."

한국의 광역수사대와 프로파일링 수사과를 합쳐 놓은 역할을 하는 경시청 프로파일링 수사과.

"다 네 덕분이지."

종혁이 아니었으면 프로파일링 수사과를 만들 생각이나 했을까.

거기다 이번 일까지.

'정말 넌⋯⋯.'

나이는 어려도 존경할 수밖에 없는 존재였다.

종혁은 그의 뜨거운 시선에 얼른 오택수와 최재수를 소개시켜 줬다.

"제 파트너들이에요."

"그래?"

무로이는 부러운 눈빛을 보내며 손을 내밀었다.

"경시청 경부 무로이 쿄헤이입니다."

그의 한국어에 깜짝 놀란 오택수와 최재수가 얼른 인사를 받았다.

"오택수 경위입니다."

"최재수 경장입니다."

인사를 나누는 셋을 보며 푸근히 웃던 종혁은 돌연 낯빛을 굳혔다.

"그럼 이제 가죠."

"……그래. 따라와."

그들은 경시청 4층에 위치한 대회의실로 향했다.

"와아!"

"꺄아!"

음악이 흘러나오는 무대에 선 경찰 인형탈을 쓴 이들의 율동을 보며 웃음을 터트리는 설화학교의 학생들.

그리고 아이들과 아이들 중간중간에 끼어 있는 경시청 소속 여경들.

그들뿐이었다. 대회의실엔 있는 사람은.

학생들을 인솔해야 될 설화학교의 선생들, 그리고 그들을 도와 아이들을 케어해야 될 미나토 대학의 사회복지학과 학생들도 이 자리에는 없었다.

경시청 투어도 투어지만, 설화학교 학생들과 선생들을 떼어 놓는 것.

이게 종혁이 말한 무리한 부탁이었다.

"힘든 일이었을 텐데 감사해요."

"뭘…… 됐어. 그럼 가 봐."

어느새 근무복으로 갈아입은 채 무겁게 고개를 끄덕인 종혁은 때마침 인형극이 끝나자 무대에 오르며 마이크를 잡았다.

"애들아, 안녕?"

"안녕하세요―!"

방금까지 웃고 떠들어서 그런지 해맑게 웃으며 대답하는 아이들. 종혁의 큰 덩치 때문에 놀랄 법도 한데 모두 하나같이 웃는다.

그래서 종혁의 가슴은 더욱 찢어졌다.

"다시 인사해 볼까? 안녕?"

"안녕하세요―!"

"좋아! 인사 잘하네! 그럼 여기서 수수께끼! 아저씨가 누굴까?"

"경찰 아저씨요―!"

"정답! 똑똑한데?"

꺄르르 웃음이 터진다.

"그럼 경찰 아저씨가 어떤 일을 하는지 아는 사람?"

"나쁜 사람들 잡아요!"

"거짓말하는 사람 잡아요!"

"뭐야, 다들 왜 이렇게 똑똑해?"

다시 웃음이 터진다.

종혁도 그에 애써 푸근히 웃는다.

"그래. 아저씨는 나쁜 사람을 잡아가는 경찰 아저씨야.

그런 아저씨가 여기 온 이유는……."

아이들의 이목이 집중된다. 얼른 말해 달라며 꼼지락거린다.

"막 너희를 아프게 하는 나쁜 사람들이 있기 때문이야."

흠칫! 깜짝!

종혁은 놀라서 몸을 굳히는 아이들을 발견하곤 순간 표정이 무너질 뻔했다.

4분의 1이었다.

여기 있는 70여 명의 학생들 중 무려 4분의 1이 반응을 보이고 있었다.

'이 개새끼들이…….'

이미 알고 있음에도 머리가 뜨겁게 달아오른다. 등 뒤로 돌린 주먹에서 피가 뚝뚝 떨어졌다.

"비밀 놀이라며 거짓말을 하게 하고……."

화들짝!

"부모님한테 말하면 학교에서 쫓아내겠다고 하고……."

움찔!

"너희가 집에 돌아가면 부모님이 힘들 거라고…… 그런 나쁜 말을, 나쁜 짓을 사람들을 잡아가기 위해서야."

아이들의 눈이 파르르 떨린다.

"괜찮아. 아저씨한테 말해도 되니까. 아저씨가 다신 그런 짓 못하게 해 줄 테니까, 여기 언니도 아저씨한테 말했으니까!"

끝내 울먹인 종혁은 혹여 아이들이 동요할까 다급히 뒤

에 서 있던 두 인형을 가리켰다.

　스윽!

　의아해하던 아이들은 이내 눈을 동그랗게 떴다.

　"우와!"

　"조상구 선생님이닷!"

　"수영 언니닷!"

　"헤헤. 안뇽안뇽?"

　"우와아아아!"

　오랜만에 만난 큰언니에 환하게 웃는 아이들.

　종혁은 무너지려는 정신을 애써 수습하며 수영에게 물었다.

　"수영아, 그렇지? 전에 이 아저씨한테 누가 아픈 짓을 했는지, 비밀 놀이를 시킨 나쁜 사람이 누군지 다 말했지?"

　"네!"

　"그때 아저씨가 어떻게 해 준다고 했지?"

　"다 잡아간다고 했어요!"

　"그리고?"

　"다신 못 본댔어요!"

　종혁은 이를 악물었다.

　"들었지?"

　"네-!"

　무슨 질문인지도 모른 채 일단 대답을 하고 보는 대다수의 아이들.

　종혁은 반응을 보인 아이들과 한 명, 한 명씩 눈을 마주치며 애써 웃었다.

"그러니 이제 말해도 돼, 애들아. 나쁜 사람을 잡아가는 경찰 아저씨가 왔단다."

그 말을 끝으로 고요한 침묵이 내려앉는다.

"……흑!"

그게 시작이었다.

"흐아아아앙!"

"흐어어어엉!"

"왜, 왜 그래. 왜 울…… 으아아아아앙!"

갑자기 울음을 터트리는 아이들 때문에 울음바다가 되어 버린 대회의실.

'늦어서 미안하다, 애들아.'

그동안 얼마나 무서웠을까.

그동안 얼마나 힘들었을까.

왜 이제야 왔냐며 원망해도 될 텐데 왜 저리 울기만 할까.

모르기 때문일 거다.

남을 원망할 줄 모르는 천사들이기에 울기만 할 뿐인 거다.

끝내 종혁의 눈에서 눈물이 뚝 떨어졌다.

후다닥! 벌컥!

아이들의 울음소리가 너무 커서 닿은 것일까.

경시청의 프로그램은 보안 때문에 외국인이 관람할 수 없다는 말도 안 되는 헛소리로 인해 결국 경시청 여경들에게 아이들을 맡겨야 했던 선생들.

윗층에 격리되어 있다가 황급히 달려온 그들은 안에서 벌어지는 광경에 기겁을 했다.

"무, 무슨······!"

"지금 이게 무슨 짓입니까!"

"서, 선생님!"

"흐에엥! 선생님!"

종혁은 눈살을 찌푸렸다.

저들과 아이들을 격리시키려고 했던 이유가 뭐던가. 아이들이 할 이야기가 저들의 귀에 당장 들어가지 않게 하기 위해서였다.

'어쩔 수 없군.'

종혁의 눈이 싸늘하게 가라앉았다.

하지만 아이들이 놀라지 않게 활짝 웃었다.

"오택수 경위, 최재수 경장."

"예."

"막아."

'방조자들이다.'

아이들이라고 마냥 입을 다물었을까.

아닐 거다. 분명 말을 했을 거다.

아프게 했다고. 주임 선생이, 교장 선생님이 아프게 했다고.

그럼에도 저들은 그럴 리가 없다며 무시하고 혼을 냈을 거다.

아니어도 상관없다. 평소와 달라졌을 게 분명한데도 아

이들의 변화를 눈치채지 못했다.

선생임에도 학생의 구조 신호를 무시했다.

그것만으로도 충분히 죄라 말할 수 있는 행위, 방임이었다.

"핸드폰 수거하고, 원래 계시던 곳으로 안내해 드려."

혹여 저들 중 누군가 주임이나 서천웅에게 전화를 걸수 있기에 종혁은 핸드폰부터 뺏기로 했다.

"충성!"

"이, 이게 무슨!"

종혁은 놀라는 선생들을 향해 입을 열었다.

"아이들이 놀랄 수 있습니다. 저희의 지시를 따라 주시기 바랍니다."

"자, 들으셨죠? 이쪽으로 오시죠."

"자자, 아이들이 놀랍니다."

분명 웃고 있지만 눈빛이 서슬 퍼런 오택수와 최재수의 모습에 마른침을 삼킨 선생들은, 울면서 손을 뻗어 오는 아이들을 바라보며 어쩔 줄을 몰라 하다가 이내 주먹을 불끈 쥐었다.

"이, 일단 아이들부터 달랠 수 있게 해 주십시오!"

"그, 그래요! 아이들이 먼저예요. 아이들이 우는 게 보이지 않나요?!"

"흐에에엥!"

"후에엥!"

'⋯⋯빌어먹을.'

종혁은 어쩔 수 없음을 알아차리곤 혀를 찼다.

"핸드폰부터 맡겨 주십시오."

"요안나……!"

"철수야!"

"선생니임-!"

종혁은 핸드폰을 던지듯 넘기며 선생님 여기 있다며 울지 말라며 아이들을 달래는 선생들은 차가운 눈으로 지켜봤다.

"이따가 다 설명해 줄 테니 일단 따라 줘요."

"으음……."

조상구 선생님의 말에 선생들은 경시청 여경들이 가져온 장난감 때문에 다시 웃기 시작하는 아이들과 종혁을 번갈아 보다 이내 입술을 깨물며 돌아섰다.

그리고 그들을 감시하기 위해 베테랑인 오택수가 따라붙었다.

조상구 선생님에게 고맙다 고개를 숙인 종혁은 박수영과 함께 한 소녀에게 다가갔다.

가슴팍에 지수정이라는 예쁜 이름이 적힌 명찰을 달고 화사한 꽃무늬 셔츠와 청바지를 입은 15살 소녀.

"꺄우! 수정아!"

"언니!"

서로 헤헤, 헤헤 옆구리를 찌르고 간질이며 그동안 너무도 보고 싶었음을 확인하는 둘.

어느새 다가온 조상구 선생님이 그런 둘을 푸근히 바라본다.

종혁은 아이들이 모두 장난감에 집중하는 걸 확인하곤 소녀의 앞에 털썩 주저앉았다.

"안녕?"

"안녕하세요! 지수정입니다!"

소녀는 마치 몇 달 전의 수영처럼 벌떡 일어나 배꼽인사를 했다.

"그래. 이 경찰 아저씨 이름은 최종혁이야. 나이는 수정이보다 10살 많은 25살."

"우왕! 뎁따 크다!"

"풋. 왜? 가까이서 보니까 더 커 보여?"

소녀는 고개를 연신 끄덕였다.

"네! 수정이도 아저씨처럼 클 수 있어요?"

"그럼. 우유 잘 먹고, 피망 잘 먹고, 멸치 잘 먹고, 야채 잘 먹으면 아저씨처럼 클 수 있어."

쿠궁!

"수, 수정이 못 커요?"

"꼬기를 많이 먹어도 아저씨처럼 클 수 있지?!"

"정말요? 꼬기 먹으면 돼요?"

종혁은 고개를 끄덕였고, 소녀는 꼬기라며 주먹을 꼭 쥐었다.

"수정아."

"네?"

"이 경찰 아저씨가 왜 수정이를 만나러 왔는지 기억하니? 아까 말했는데……."

흠칫 놀란 소녀의 얼굴이 하얗게 질린다.

그러면서도 고개를 끄덕인다.

"네……."

아프기만 했던 비밀 놀이.

부모님에게도 다른 선생님에게 말하면 안 된다고, 꼭 우리 둘만의 비밀 놀이라고 말을 했던 무서운 선생님들.

그 선생님들을 잡아가기 위해 왔다고 했다.

종혁은 정말 그래 줄 거냐며 겁에 질린 눈으로 묻는 소녀에게 고개를 끄덕여 줬다.

"누가 그랬니. 누가 우리 수정이를 아프게 했니?"

"……교, 교장 선생님이요."

종혁은 이를 악물었다.

'고맙다.'

용기를 내 줘서.

말해 줘서 너무도 고마웠다.

"그리고 또?"

"주임 선생님이요."

됐다. 이제 거의 다 끝났다.

종혁의 어깨가 축 처졌다.

그때였다.

"그리고……."

'그리고?'

종혁은 저도 모르게 눈을 부릅떠 소녀를 봤다.

하지만 소녀의 정신은 접고 있는 손가락에 향해 있었다.

"하나, 둘, 셋 넷……."

'자, 잠깐! 잠깐!'

"일곱. 모르는 아저씨 일곱 명이요!"

뿌득!

"아, 아저씨?"

"응? 왜?"

종혁은 애써 웃었다.

애써 정신줄을 붙잡으며 웃었다.

"아저씨 화 안 났어? 봐, 스마일? 예쁜 짓?"

"……진짜여?"

"그럼―. 아저씨는 절대……."

"후원회……."

종혁의 고개가 조상구 선생님을 향해 휙 돌아갔다.

두 눈이 사정없이 흔들리는 그.

"후, 후원회일 겁니다. 설화학교를 후원하는 후원회 말입니다!"

"……아."

순간 눈앞이 아찔해진 종혁은 끊어지려는 이성을 꽉 붙들었다.

그리고 정말, 정말 애써 화사하게 웃으며 소녀를 바라봤다.

"그 아저씨들이…… 수정이의 어디를 아프게 했는지

말해 줄래? ……응?"

웃어야 하는데…….

소녀가 겁먹지 않도록, 슬퍼하지 않도록 웃어야 하는
데…….

얼굴이 일그러짐을 느껴진다.

"여기요. 막 여기를…… 여기랑 여기를…… 흐이이잉."

종혁은 고개를 푹 숙였다.

그의 눈에서 죄책감이 쏟아져 내렸다.

* * *

"끄으으윽!"

"아아…… 으아아아아!"

"아니야. 아니야아-!"

-여기를 아프게 했어요. 여기 안을…… 막…….

"아니죠? 아니라고 해 줘요! 경찰 선생님! 제발! 제바
알-!"

부모들이 무너진다.

지금부터 보여 줄 영상은 모두 진실이라며 종혁이 보여
준 노트북에서 흘러나오는 바디캠 영상에 가슴을 치고,
찢으며 오열한다.

아니어야 한다.

제발 아니어야 한다.

이렇게 태어나게 한 것도 미안하고 미안한데 지키지도 못했다니.

아프고 아픈 손가락이 부모를 향해 살려 달라 외쳤는데 목구멍으로 밥을 넘기고 물을 넘겼다니.

그러면 안 된다. 절대 그러면 안 된다.

살아갈 가치를 잃어버린 부모들은 종혁을 흔들며 제발 부정해 달라고 간절히 외쳤다.

하지만…….

"죄송합니다."

"……으아아아! 아아아아악!"

그들은 이 분노를 쏟아 내기 위해 핸드폰을 찾았다.

하지만 핸드폰은 이미 종혁이 수거한 뒤였다.

그들의 눈은 한쪽으로 향했다.

"야 이 개새끼들아!"

"쳐 죽일 새끼들아-!"

부모들은 선생들에게 달려들었다.

믿었다.

선하게 웃었기에, 학교를 다녀온 아이들도 주말밖에 못 만나는 내 새끼도 만날 선생님 선생님 불렀기에.

선생님이 제일 좋다고 결혼할 거라고 외쳤기에!

아무런 의심을 하지 않고 믿고 맡겼다.

그런데 그 믿음의 결과가…….

"이거냐, 이 개새끼들아! 죽어! 죽어어!"

"죄송합니다! 죄송합니다!"

이따가 전부 설명해 주겠다는 조상구 선생님의 말이 이 거였던가.

조상구 선생님이 수영을 데리고 잠적한 이유가 이것이 었던가.

자신들은 바보처럼 저 천사들의 간절한 구원을 외면했 던 것인가.

저 아이들이 장애아가 아니다. 진짜 장애인은 보고도 못 본 자신들이었다.

그들은 물어뜯고 할퀴고 후려치는 부모님들의 원망에 울고 울었다.

그때 종혁과 오택수 최재수가 다급히 달려들어 부모들 을 떼어 냈다,

"왜 말리십니까! 왜에!"

"진정하세요! 저분들은 아닙니다!"

"그럼 누구에게 풀어야 하는데요! 누구에게—!"

빠득!

"당연히 그 개새끼들이죠."

맞다. 정작 이 분노를 풀어야 하는 사람들은 다른 곳에 있었다.

뿌득! 빠드득!

지금 당장이라도 교장이 눈앞에 있으면 찢어발길 것 같 은 눈을 한 그들은 종혁을 잡아먹을 듯 노려봤다.

"일단 다시 한번 부모님들과의 상의 없이 멋대로 일을

진행해서 죄송합니다."

지적장애아라도 숨기고 싶은 비밀이 있다.

부모에게도 알릴 수 없는 비밀.

부모가 알게 되면 슬퍼할 걸 알기에, 그걸 보면 자신도
아프기에, 도리어 부모가 곁에 있으면 입을 꾹 다무는 자
폐증 아이들도 있기에 어쩔 수 없었다.

"돼, 됐습니다!"

솔직히 종혁이 원망스럽지 않다면 거짓이다.

차라리 몰랐으면 이렇게 미안하지도 않을 텐데, 이 잔
인한 일을 죽을 때까지 몰랐을 텐데 이런 마음이 불쑥 든
다.

하지만 종혁은 훗날 알게 됐으면 무너졌을, 살인이라도
저질러 버렸을 자신들을 구해 준 사람이고 아이들이 힘
들어하지 않게 배려한 좋은 사람이다.

"그보다 저희가 어떻게 하면 됩니까?"

"5일입니다."

종혁 역시도 믿어 달라고 잡아먹을 듯 그들을 노려봤다.

"딱 5일만 참아 주십시오. 힘들고 괴로워도 5일 동안만
타인과의 연락을 참아 주십시오."

남편과 가족, 당연히 이 개놈들뿐만 아니라 같이 온 다
른 부모와도, 피해자가 아닌 부모들과도 대화를 하지 말
아야 한다.

"그래야 놈들을 찢어 죽일 수 있습니다. 그렇게 해 주
실 수 있겠습니까?"

이런 사건에서 가장 어려운 점이 바로 이거다.

범죄 사실을 알게 된 피해자나 피해자 가족과 지인이 범인을 찾아가 따지는 바람에 범인이 증거를 없애 버리는 것.

부모들은 당연히 그러겠노라고 고개를 연신 끄덕였고, 종혁은 고개를 숙였다.

"감사합니다. 그럼 5일 후 뵙겠습니다."

돌아서서 건물을 빠져나온 종혁은 오택수와 최재수를 봤다.

"부탁할게요."

아마 저들 부모들에겐 삶에서 가장 긴 5일이 될 거다.

지금은 그러겠노라 다짐했지만, 30분 뒤만 지나도 저들 중 누군가는 서천웅과 주임에게 연락할 방도를 찾게 될 거다.

그게 부모일 수도 있고, 선생일 수도 있다.

"제가 예약한 호텔로 데려가서 절대 바깥과 연락하지 못하게 해요."

일본 여행이란 명분으로 그룹을 찢어 피해자 가족을 격리시킨다.

그게 종혁이 선택한 방법이었다.

"걱정 마."

"예! 저희만 믿으세요!"

사명감으로 타오르는 오택수와 최재수의 눈을 본 종혁은 고개를 끄덕이며 몸을 돌렸다.

* * *

뿌득! 뿌드득!

"허허허……."

담배를 문 채 이를 갈던 김종두 과장이 설화학교를 보며 헛웃음을 터트린다.

웃지 않으면 미쳐 버릴 것 같던 영상.

그는 팀원들을 둘러봤다.

모두 같은 마음인지 설화학교를 보며 이를 갈고 있다.

김종두는 무슨 생각을 하는지 무심히 설화학교를 응시하는 종혁의 등을 툭 쳤다.

그에 고개를 끄덕인 종혁은 입에 물고 있던 담배를 튕겼다.

"갑시다."

탁, 탁탁!

차에 오른 그들은 열려 있는 설화학교의 대문을 향해 액셀을 밟았다.

오싹!

"음."

시끄럽게 떠드는 아이들이 없어 더 적막한 학교, 갑자기 드는 한기에 서천웅은 달력을 봤다.

"벌써 겨울인가."

새해가 밝은 게 엊그제 같은데 벌써 11월 중순, 겨울이다.

그는 올해도 빨리 지나가 버린 시간이 야속해져 담배를 물었다.

"흠. 크리스마스 후원회를 열긴 열어야 되는데……."

이번엔 특히 더 열어야 한다.

구국명 의원이 송호섭과 모정대의 입을 잘 틀어막고 있기 때문이다.

"어쩔 수 없군. 아이들 데리고 잠시 복귀를 하게 만들든지, 아니면 우리가 일본으로 넘어가든지. ……아니, 이번 후원회는 일본에서 진행하는 게 좋겠어."

온천. 일본하면 온천이 아니던가.

작은 온천을 통째로 빌려 후원자들에게 길들인 아이들을 하나씩 안겨 주고 온천욕을 즐기게 한다면 색다른 경험이 될 터.

그걸 생각하자 그는 사타구니가 꿈틀하는 걸 느꼈다.

똑똑!

"들어와요."

문이 열리며 불퉁한 얼굴의 주임 선생이 들어온다.

"아직도 삐졌어? 그땐 어쩔 수 없었다니까 그러네."

"됐습니다. 평생 그렇게 자기 안위만 생각하고 사십쇼. 내가 진짜…… 됐고, 이거나 드세요. 잠깐 나갔다 오는 길에 보니 이걸 팔고 있더라고요."

그러며 내미는 검은 봉지 속엔 뜨끈한 김이 올라오는 풀빵이 들어 있었다.

"허헛. 정말 겨울은 겨울이군."

아주 어릴 적 시장 바닥에서 일하는 어머니 때문에 언제나 시장이 놀이터였던 서천웅의 소원은 풀빵을 원 없이 먹는 거였다.

칼에 에이는 듯한 추위 속에서 뜨겁게 피어오르는 냄새가 어찌나 맛있어 보이던지. 생일 때 풀빵 두 개를 사 주면 그렇게 좋아했더랬다.

몸을 일으킨 서천웅은 책상 앞 소파에 앉아 주임 선생에게 손짓을 했다.

"너도 같이 먹자."

"……쯧. 있어 봐요. 마실 거 가져올 테니까."

이내 곧 그들은 풀빵을 씹으며 겨울의 적막을 즐겼다.

"이번 후원회는 일본에서 온천을 빌려 열 거다."

그 말에 주임 선생의 눈이 욕망으로 번들거린다.

"정말 머리 잘 쓴다니까. 대단하십니다, 형님."

"형님이 아니고 교장 선생님."

"아이고. 네, 네. 알아서 모십죠."

"쯧."

그래도 주임 선생의 화가 풀린 것 같자 교장 선생은 흐뭇이 웃으며 풀빵을 베어 물었다.

그들은 몰랐다.

이것이 생애 마지막으로 먹는 풀빵임을 말이다.

왜에에에엥!

갑자기 울리는 경찰차 사이렌 소리.

의아해하며 창문을 본 주임 선생은 눈을 부릅떴다.

"교, 교장 형님!"

섬뜩!

순간 드는 불길함에 다급히 창가로 달려갔던 서천웅은 안으로 밀려 들어오는 경찰차들에 눈을 부릅떴다가 다급히 책상 밑에 숨겨 둔 금고를 붙들었다.

"마, 막아!"

"어, 어떻게요!"

"어떻게든!"

"에이씨!"

철컥.

금고를 연 그는 먼저 달려 나가는 주임 선생의 뒤를 따르다 멈춰 섰다.

우르르르!

형사들이 이쪽을 향해 빠르게 달려오고 있었다.

"저기다!"

"잡아!"

"아아악! 혀, 형니임!"

"빌어먹을!"

다시 안으로 들어온 그는 쓰레기통에 장부를 던져 버리며 라이터를 들었다.

그때였다.

꽈아앙!

문이 폭발하는 소리와 함께 안으로 짓쳐 들어오는 거대

한 그림자.

종혁은 놀라서 고개를 돌린 서천웅의 목을 틀어쥐며 창가로 달려갔다.

쾅장창!

몸통의 절반 이상이 창밖으로 빠져나간 그.

"아아악!"

"어딜. 씨발 새끼가."

"사, 살려……."

종혁은 1층임에도 겁에 질려 버둥거리는 늙은 버러지의 모습에 이를 뿌드득 갈며 손에 힘을 주었다.

그리고 영장을 그의 코앞에 들이밀었다.

"컥! 커어억!"

"잘 들어, 이 씨발 새끼야. 서천웅 당신을 장애아동 강간 및 특수강간, 강제 추행, 강간 미수, 씨발 등등 혐의로 체포한다. 넌 묵비권을 행사할 수 있고, 좆같이 불리한 진술을 거부할 수 있으며, 개 같은 체포, 구속적부심을 청구할 수 있어. 너 같은 개씹새끼라도 이런 보호를 받을 수 있다고!"

"켁! 케으윽!"

종혁의 팔뚝을 긁으며 버둥거리는 그.

서천웅을 안으로 끌어당긴 종혁은 뿌리치듯 던져 버렸다.

쿠당탕!

"커허어억! 켁! 케에엑!"

성큼성큼 걸어간 종혁은 그의 앞에 쪼그려 앉으며 서천

웅의 머리채를 휘감아 꺾었다.

"아악!"

"씨발. 그런데 하지 마라. 그땐 내가 정말 선을 넘어 버릴 것 같거든."

형사로서 지켜야 할 선. 최후의 양심.

서천웅은 종혁의 눈에서 넘실거리는 끔찍한 살의에 시선을 피했고, 주먹을 부르르 떨던 종혁은 결국 그에게 수갑을 채워 교장실 문 앞에 기대어 있는 김종두에게 떠밀었다.

"장부는 저기 쓰레기통에 있습니다."

"어디 가게?"

"과수대한테요."

함께 온 부모들이 발을 동동 구르고 있을 그곳.

기숙사로 향한 종혁은 자신을 발견한 부모들을 다독이며 폴리스라인 안쪽으로 들어갔다.

그 순간이었다.

"차, 찾았습니다—!"

종혁은 과수대 대원이 들고 나오는 증거물 봉투 속 먼지와 추악한 탐욕과 끔찍한 순간으로 점점이 노랗게 물들인 하늘색 팬티를 보며 담배를 물었다.

빨래감은 무조건 하루에 한 번씩 내놔야 하는 규칙임에도 무서워 건드리지 못해 등 밑에, 침대 아래에 깔고 자야 했던 끔찍한 악몽.

비밀 놀이의 증거.

"으아아아악!"

"안 돼!"

"후우우. 씨발."

종혁은 차마 볼 수가 없어 몸을 돌렸다.

만나야 할 사람이 있었다.

*   *   *

"이런 개-!"

서천웅이 설화학교 장애아를 성폭행한 혐의로 잡혀 들어갔다는, 후원회 회원들이 검거됐다는 소식에 구국명은 온몸의 피가 모두 빠져나가는 걸 느꼈다.

끝났다.

다른 것도 아니고 장애아 성폭행이다.

자신의 정치 인생은 끝났다고 봐야 했다.

"마, 막아야 해. 막아야! 씨발, 어떻게 막는데!"

"지, 진정하십시오, 의원님!"

"지금 진정하게 됐어?! 그보다 넌 뭐하는 새끼야! 이런 것도 막지 못하고 뭐했냐고!"

눈이 뒤집어진 구국명은 비서를 덮치며 목을 졸랐다.

"케, 켁!"

살고 싶다는 듯 버둥거리는 비서의 모습에 구국명의 눈이 더 뒤집어졌다.

이놈 때문이다. 서천웅과 만난 것도 이놈이 주선해서였다.

'그래, 이놈을 죽이고 이놈한테 덮어씌우면……'

그의 눈이 위험하게 빛나기 시작했다.

"지, 진정……. 성범죄는…… 친고…… 켁! 켁!"

움찔!

눈을 굴린 구국명은 이내 손에 힘을 풀고 물러나며 담배를 물었다.

"자세히 말해 봐."

"커헉! 컥! 후우욱. 기, 기억 안 나십니까, 의원님? 서교장은 정말 뒤탈 없는 년들로만 보냈습니다."

구국명은 설화학교의 아이들 중에서 몇몇 조건이 충족되는 아이들만 손을 댔다. 부모가 없는 아이, 부모도 마찬가지로 지적장애를 앓고 있는 아이들로 말이다.

친고죄에 해당하는 성범죄는 피해 당사자나 법정 대리인이 직접 고소를 해야만 하는데, 이들이 제대로 고소 절차를 밟을 수 있을 리가 없었다.

이는 서천웅이 특별히 신경을 써 준 부분이었다.

혹여 일이 잘못되어도 구국명만큼은 빠져나갈 수 있도록, 그가 빠져나가 자신을 구해 줄 수 있도록 말이다.

이런 비서의 말에 구국명의 눈이 빛났다.

"그럼……."

"예. 무조건 잡아떼셔야 합니다. 그들이 제대로 고소를 진행할 수 있을 리가 없으니 의원님께 어떤 수사도 진행할 수 없을 겁니다."

구국명의 얼굴에 비릿한 미소가 피어올랐다.

몸을 일으킨 그는 울상을 지으며 비서의 목을 어루만졌다.

"미안하군. 많이 아팠지? 내가 잠시 눈이 돌았어."

"아, 아닙니다."

"그래, 자네 집이 몇 평이라고 했지?"

"가, 감사합니다, 의원님!"

"뭘. 날 위해서 이렇게 노력해 주는데 이 정도는 당연히 해 줘야지. 후후후."

그렇게 추악의 꽃이 피어오르고 있었다.

한편, 그날 오후.

종혁은 한 장년인과 마주하고 있었다.

"오랜만입니다, 당대표님."

현몽준 의원.

그는 종혁의 정중한 인사에도 구긴 얼굴을 펴지 않았다.

"됐고. 본론으로 들어갑시다."

종혁이 전해 온 믿지 못할 이야기.

현몽준 의원의 눈이 차갑게 빛나기 시작했다.

* * *

─여기를 아프게 했어요. 여기 안을…… 막…….

진실이었다.

믿을 수 없는, 있어서는 안 될 이야기였는데 모두 진실이었다.

탁!

바지를 움켜쥐고 있던 현몽준 의원은 갑자기 멈춘 영상에 종혁을 응시했다.

핏발이 선 그의 눈에 종혁은 덤덤히 입을 열었다.

"요안나란 아이입니다. 나이는 14세이고, 아버지는 8살 때 사망하였고 어머니는 그 충격에 반신불수가 됐습니다. 그래서 설화학교의 기숙사에 들어가게 됐습니다."

"그 말은……."

"일단 더 봐 주시면 감사하겠습니다."

"……그럽시다."

현몽준은 다시 노트북을 응시했다. 그리고 다시 바지를 움켜쥐었다.

이후 영상이 모두 끝나자 종혁은 노트북을 닫고 현몽준을 보았다.

"요안나뿐만이 아닙니다."

무려 11명의 아이가 부모가 없어서, 법적 대리인이 정상인이 아니라서 고소를 못하고 있다. 박수영처럼 유일한 보호자인 조부모가 치매인 아이도 무려 3명이다.

"그래서……."

잠시 말을 줄인 종혁은 품 안에서 사진 한 장을 꺼냈다.

설화학교 설립 25주년 기념사진과 후원회 회원들의 사진이다.

"구국명 의원……."

종혁이 말한 인물이다.

현몽준 의원의 눈빛이 서늘하게 가라앉았다.

"이놈들로 하여금 죗값을 치르게 만들고 싶습니다."

뒤로 물러난 종혁은 무릎을 꿇으며 머리를 숙였다.

"부탁드리겠습니다, 의원님."

쿵!

현몽준은 눈을 부릅떴다.

그 당당하고 재치 있던 청년이 머리를 조아린다. 타인을 위해 망설임도 없이 무릎을 꿇는다.

현몽준의 눈썹이 파르르 떨렸다.

그리고 잠시 그들 사이에 침묵이 내려앉는다.

그렇게 얼마나 지났을까.

"……만약 내가 들어주지 않으면 어떻게 할 생각입니까?"

"의원님!"

고개를 번쩍 든 종혁의 얼굴에 미소가 피었지만, 현몽준은 손을 저었다.

"대답부터 해 주십시오."

"……글쎄요."

가능하면 거기까진 생각하고 싶지 않았다.

현몽준을 설득할 수 없다면, 형사로서 지켜야 할 선을 넘을 수밖에 없기에.

순간 종혁의 전신에 위험한 기운이 감돌았고, 그의 두 눈엔 서늘한 악의가 넘실거리기 시작했다.

'이런 사람이었던가.'

그 눈빛으로 답을 얻은 현몽준은 고개를 주억거리고는 미지근해진 술잔을 입안에 털어 넣었다.

"건물 몇 개는 팔아야 할 겁니다."

종혁이 원하는 바를 관철시키기 위해선 많은 돈이 들 터였다. 안타깝게도 이 문제에 예민하게 반응할 사람들이 많을 것이기에 어쩔 수가 없었다.

"모두 팔아야 한다고 해도 팔겠습니다."

부탁을 하러 왔기에 이 정도는 각오했다.

현몽준 의원이 말하는 돈은 아마 다른 의원들을 설득할 때 쓰일 터.

"그 각오면 됐습니다. 난 바빠서 먼저 일어납니다."

외투를 챙겨 든 그는 나오지 말라며 손을 저었고, 종혁은 닫히는 문을 보며 한숨을 길게 내뱉곤 벌렁 누워 버렸다.

"됐네."

설득이 될지 안 될지 몰라서 불확실했던 수.

한편으로는 그가 거절해서 선을 넘는 것도 나쁘지 않겠다는 생각도 들었었지만, 역시 이게 옳았다.

이걸로 모든 아이들이 구원받을 수 있어서 다행이었다.

담배를 입에 문 종혁의 입가에 후련한 미소가 맺히기 시작했다.

한편 식당을 빠져나온 현몽준은 담배를 입에 물며 황혼으로 물드는 하늘을 봤다.

"아저씨의 말씀이 진실이었군."

그때도 이 식당이었다.

이 식당에서 종혁과 만남을 가진 뒤 너무 마음에 든 종혁을 더 알고자 권회수와 술을 마시며 대화를 나눴다.

그때 권회수는 이렇게 말했다.

'그 누구에게도 어떤 상황에서도 당당하고 단단하지만, 선을 넘어야 한다면 서슴없이 넘는 부류.'

세상 전부를 감쌀 수도, 세상 전부를 파괴할 수도 있는 위험한 부류라고 했다.

솔직히 믿지 않았다. 그가 판단한 종혁은 정도를 걷는 이였기에.

한데 권회수의 판단이 맞았다. 방금 전 그걸 확인할 수 있었다.

종혁은 끔찍이도 위험한 부류가 맞았다.

세상을 불태울 거대한 불을 품고 있었다.

그런데 그래서 더 마음에 든다.

"그건 아마도……."

그런 불을 품고 있음에도, 언제든 정도가 아닌 길을 걸을 수 있음에도 정도를 걷고 있기 때문일지도 몰랐다.

'역시 정력이 대단한 친구야.'

"최 경감님을 만나실 땐 언제나 웃으시는 것 같습니다, 의원님."

"그랬던가?"

곰곰이 생각하던 현몽준은 고개를 끄덕였다.

그럴 수밖에 없다.

"재미가 있잖나."

어떨 땐 능구렁이 같으면서도 어떨 땐 진심으로 부딪쳐 온다.

이런 사람을 싫어할 사람이 세상에 몇이나 있을까.

속에 추악한 구렁이나 숨겨 둔 주위 인물들과는 본질부터 다른 사람이었다.

말없이 차만 나눠 마셔도 재밌는 사람.

"꼭 나를 보는 것 같지 않나?"

"날이 춥습니다, 의원님."

"……그래. 가지. 그곳으로."

현몽준은 서울의 한 일식당으로 향했다.

* * *

"으흠."

구국명 의원은 마른침을 삼켰다.

"현몽준 당대표……."

박노형 대통령을 대통령으로 만드는 데 막대한 기여를 하며 이 대한민국에서 무소불위의 권력을 가지게 된 인물이다.

그리고 수많은 법안을 발의하고 통과시키며 권력을 공고히 한 인물이다.

다음 대선의 강력한 대권주자.

그런 그가 식사를 하자고 불렀다.

"……설마 나를 후계자로?"

순간 심장이 멎을 정도로 행복한 상상을 했던 그는 고개를 저었다. 구국명 본인이 3선의원이라지만, 지방 도시의 국회의원일 뿐이다.

아쉽지만 그는 미련을 버렸다.

하지만 그게 아니라도 분명 큰 제안을 해 올 터. 과연 어떤 제안일까 그는 상상에 젖어 갔다.

똑똑!

구국명은 다급히 몸을 일으켰다.

"미안합니다. 내가 늦었습니다."

"아, 아닙니다. 저도 방금 막 왔습니다."

"그래요? 앉읍시다."

현몽준 의원이 앉자 따라 앉은 구국명은 술병을 들었다.

"아닙니다. 후에 약속이 있어서 술을 마실 수가 없군요."

"아, 그러십니까?"

구국명은 아쉬움에 입맛을 다셨다.

그런 그의 모습에 냉녹차로 입안을 행군 현몽준은 젓가락을 들었다.

'맛있군.'

혀 위에서 부드럽게 풀리는 농후한 참치 대뱃살의 맛.

현몽준은 결정을 내렸다. 종혁이 구국명을 언급했기에 만들었던 이 자리에 대한 결정을 말이다.

"구국명 의원."

"예, 의원님!"

"구국명 의원이 우리 당에서 충성을 바친 게 벌써 20년 정도 되는군요."

어느 국회의원의 비서로 시작해 정치판에 입문한 구국명 의원.

"하하, 별거 아닙니다. 모두 이 나라의……."

"요새 꽤 골치 아픈 일이 있다지요?"

움찔!

"……이런 제가 의원님을 걱정시켰나 봅니다. 절 음해하는 세력이 지껄이는 헛소리이니 너무 신경 쓰지 마십시오."

"배지 내려놓으세요."

"예?"

젓가락을 내려놓으며 휴지로 입술을 닦은 현몽준은 무심한 눈으로 구국명을 응시했다.

"지금 구국명 의원에겐 두 개의 길이 있습니다. 하나는 자발적으로 배지를 반납하고 야인으로 돌아가 법의 엄중한 심판을 받는 것. 다른 하나는 강제로 쫓겨나 비루한 개새끼처럼 조리돌림을 당하는 것."

"의원님, 이게 무슨……! 이러려고 날 부른 겁니까!"

이제야 현몽준이 부른 이유를 알게 된 구국명은 자리를 박차고 일어났고, 현몽준은 그런 그를 여전히 무심한 눈으로 쳐다봤다.

"아, 다른 길도 있군요. 오늘 이후로 세상에서 사라지는 것."

오싹!

"방금 전 하찮은 짐승 새끼 따위가 감히 사람을, 아니 천사를 짓밟고 능욕했다는 끔찍한 이야기를 듣고 왔습니다. 그 천사님들이 직접 말을 하더군요."

철렁!

끝났다. 구국명은 모든 게 끝났음을 직감했다.

"의, 의원님……."

현몽준 의원은 할 말 다했다는 듯 몸을 일으켰다.

"내 정중한 권유를 무시해도 상관없습니다. 국회의원에겐 불체포특권이라는 게 있으니 부정하고 이리저리 압박을 넣으면 무마시킬 수 있겠죠. 구국명 의원도 나름 3선이니까."

아마 다음 총선에서도 당선이 되어 배지를 달 거다.

"그런데……."

옷매무새를 정리한 현몽준은 얼어붙은 구국명에게 얼굴을 들이밀었다.

"감히 너 따위가 내 분노를 감당할 수 있을까?"

"흐읍! 사, 살려…… 살려 주십시오! 의원님! 아니, 대표님!"

쿵 쿵 쿵!

재빨리 뒤로 물러난 구국명은 무릎을 꿇으며 머리를 박았다.

현몽준은 그걸 보며 혀를 찼다.

'같은 모습이라도 너무 다르구나.'

"오늘 이후로 당사나 의회에서 보지 말았으면 좋겠군요. 내 충고 무시하지 않았으면 좋겠습니다."

"살려 주십시오! 제발! 제바알!"

스르륵! 탁!

"아악! 아아아아악!"

비명 소리를 뒤로하며 가게를 나선 현몽준은 담배를 물었다.

"빨리 나오셨습니다."

"버러지 따위에게 할애할 시간이 있겠나. 가지. 법을 개정하려면 만나야 할 사람이 많아."

고개를 끄덕인 그는 문을 열었고, 현몽준은 차 안으로 들어갔다.

그렇게 밤이 깊어져 갔다.

* * *

교육과 보호의 사각에서 벌어진 끔찍한 만행!

교육자가 아닌 악마!

악마에게 짓밟힌 천사들!

현몽준 당대표 법을 개정하겠다!

성범죄 관련 모든 친고죄 폐지?!

뜻을 합친 여야. 국민이 바라고 있다!

구국명 의원, 겸허히 법의 심판을 받겠다.

"이 개새끼들! 어디 할 짓이 없어서!"

한국이 뒤집어졌다.

선생이 정신연령이 낮은 장애아를 강간한 것도 모자라, 후원회라는 단체에 아이들을 가져다 바친 끔찍한 사건.

국회의원, 병원 원장, 공무원, 조폭 등 수많은 사람들이 연루된 이 사건에 국민들은 공분을 터트릴 수밖에 없었다.

그에 재판은 유례없이 초고속으로 진행되었다.

"……죄질이 너무 악랄한 바 피고 서천웅과 서호철에게 각기 징역 17년과 15년형을 선고한다."

"아, 안 돼! 아아아악!"

"형님! 어떻게든 된다면서요! 말 좀 해 봐요, 형님!"

"우와아아아아!"

"그렇지-!"

서천웅과 서호철은 넋이 나간 얼굴로 주저앉았고, 뒤에서 감시하듯 지켜보고 있던 사람들은 벌떡 일어나 환호성을 터트렸다.

고작 17년과 15년.

천사들을 짓밟은 죗값으로는 너무 쌌지만, 이게 끝이 아님을 알기에. 친고죄가 폐지된 순간 이보다 더한 형량이 부과될 걸 알기에.

법의 엄중함이 살아 있음에 부모들은 아이를 끌어안으

며 울음을 터트렸고, 아이들도 그에 울음을 터트렸다. 기자들은 그 모습을 카메라에 담느라 바빴다.

"후우."

밖으로 나온 종혁의 입에서 하얀 김이 뿜어진다.

"다행히 지켰네."

아이들과 한 약속을 지켰다.

그래서인지 공기가 찬데도 차다 느껴지지 않았다.

뚜벅! 뚜벅!

구둣발 소리에 힐끔 고개를 돌렸던 종혁은 다시 하늘을 보며 담배를 주욱 빨았다.

찰칵! 치이익!

옆으로 다가온 강철선이 담배에 불을 붙인다.

여론이 들끓을 만큼 큰 사건이었기에 이번 사건은 중앙지검이 맡았다.

"수고했데이."

"뭘요."

그저 경찰로서 당연히 해야 할 일을 했을 뿐이다.

그뿐이었다.

그런 종혁의 말에 강철선은 흐뭇이 웃었다.

승진가도를 달리고 있음에도 처음 봤던 그 모습 그대로 변치 않기에.

참 여러 유혹에 흔들릴 나이임에도 변치 않기에.

그게 참 고맙고 대견했다.

"이제 우얄끼고? 약속 있나?"

"약속은 없는데 재판은 다 보려고요."

오늘 하루 모든 피의자에 대한 재판이 열린다.

천사들을 잔인하게 짓밟은 악마들의 말로가 어떤지 끝까지 보고 싶었다.

특히 구국명. 종혁 자신으로 하여금 큰돈을 쓰게 만든 그놈의 재판은 꼭 보고 싶었다.

이번엔 성폭력이고, 다음에도 성범죄고, 그다음에야 탈세 등의 처벌을 받아 일평생을 감옥에서 썩어야 할 그.

그리고 감히 경찰 얼굴에 먹칠을 한 모정대의 재판도 보고 싶었다.

"글나? 그람 끝나고 곱창에 소주 한잔하까?"

"곱창전골은 어떠세요. 날도 추운데."

"뭐든 어떻겠노."

가슴이 너무도 따뜻해 춥지가 않은데.

아마 이번 겨울은 무척이나 따뜻할 듯싶었다.

그건 종혁도 마찬가지였다.

"드가자."

"옙!"

그들은 다시 법원 안으로 걸음을 옮겼다.

싸늘하지만 따뜻한 공기가 그들을 감쌌다.

* * *

강원도에선 벌써 눈이 내려 버린 12월 초.

아직 공사가 반절도 채 끝나지 않은 행복의 쉼터 학교가 잠시 문을 열고 손님을 맞이한다.

내년 3월이면 손님이 아니라 가족으로 맞이할 사람들.

"우와!"

"와아!"

아이들은 너무도 커다란 학교 본 건물에 눈을 동그랗게 뜨고, 부모들은 저 멀리 지어지고 있는 수영장과 경마장에 뒤집어진다.

그러다 기숙사를, 부모님들을 위한 빌라를 보고 주저앉는다.

"저, 정말 저희 아이가 여기를 다녀도 되나요? 저희가 이런 곳에서 살아도 되는 건가요?"

권회수는 무섭지도 않은지 옷자락을 꼭 잡은 한 아이의 머리를 쓰다듬었다.

"이 천사들을 땅에 보내 놓고 무책임하게 방치한 하늘을 대신해 고생한 대가라 생각해 주십시오."

"어, 어르신!"

"이사장님!"

"아빠, 왜 그래? 또 울어?"

"아니야! 안 울어, 수정아. 이제 수정이랑 함께 살게 돼서 너무 기뻐서 우는 거야."

"정말? 정말 다 같이 살아?! 우와아아아!"

"와아아아아! 엄마! 엄마도 같이 살아?"

"으응. 내 따알 요아나……."

"아!"

아차 한 부모들이 다급히 종혁에게 다가와 허리를 숙인다.

"감사합니다, 형사님!"

"형사님들, 감사합니다!"

"정말 이 은혜를 어떻게 갚아야 할지……."

"아이고. 당연히 해야 할 일을 했을 뿐인데요, 뭘. 그러니 저희에게 감사하기보다 아이들과 더 함께 있어 주십시오. 저흰 그거면 충분합니다."

"네! 그럼요! 저흰 그거면 충분합니다!"

손을 젓는 종혁과 오택수 최재수의 모습에 부모들의 눈에 눈물이 고인다.

"형사님……."

"음. 전 잠시 담배 좀!"

"저도!"

후다닥 빠져나온 셋은 숨을 몰아쉬다 서로를 보며 피식 웃었다.

그리고 담배를 물며 빌라를 봤다.

꺄아우, 호호호, 하하하 해맑은 웃음이 따뜻한 온기를 만들어 내는 빌라.

셋의 얼굴에 푸근한 미소가 맺혔다.

'그래. 이젠 울지 말고 웃으렴.'

언제나. 행복하게.

그것이 곧 보답이고 선물이었다.

이르지만 기분 좋은 크리스마스 선물에 종혁은 행복한 한숨처럼 어깨를 늘어트리며 돌아섰다.

"야, 기분도 째지는데 펜션에 놀러 가서 고기나 구울까?"

"아, 그거 좋죠. 기다렸다가 권 이사장님도 모셔 가죠."

"지금 바로 예약하겠습니다!"

낄낄거리며 어깨동무를 한 셋은 차로 향했다.

정말 이번 겨울은 춥지 않을 듯싶었다.

3장. 굴러온 돌

굴러온 돌

12월이 되자 전국 경찰서뿐만 아니라 본청도 떠들썩해졌다. 범죄율이 급증하는 연말이기도 하지만, 연말정산 때문이다.

또 1월이면 인사이동이 시작된다.

누가 올지, 또 누가 갈지.

그들의 눈과 귀가 활짝 열렸다.

"무조건 경찰 이미지 마케팅팀으로 간다!"

"특수도 좋아!"

"야, 광수대도 좋더라."

"자네, 이 나라의 치안을 담당해 볼 생각 없나?"

이렇게 시끄러운 본청.

그건 경찰 이미지 마케팅팀도 다를 게 없었다.

기획조정 산하로 편입이 되면서 더 넓은 사무실을 배정

받은 경찰 이미지 마케팅팀.

"어, 씨발. 올해는 왜 이것밖에 안 나와?"

"뭐가요?"

오택수의 모니터를 본 종혁은 피식 웃었다.

"휴가 시즌에 휴가를 그렇게 썼는데, 휴가 지원금이 나오겠어요?"

정해진 휴가를 쓰지 않으면 그 휴가 일수만큼 돈이 나오는 공무원.

"아니, 그래도……."

오택수뿐만이 아니다. 다른 팀원들도 작년과 비교를 하며 머리를 쥐어뜯는다.

'에라이, 이 양심 없는 사람들아. 올해 받은 성과급과 상여금이 얼만데…….'

"그보다 특진 포인트는 얼마나 쌓였어요?"

만년 경위 오택수. 진급을 하더라도 사고를 쳐서 계급이 강등되기를 반복하다 파출소를 전전했던 그.

함께 해결한 사건이 많고, 올해 경찰 이미지 마케팅팀이 많은 성과를 올렸기에 종혁은 무심결에 툭 던져 봤다.

"특진 포인트? 글쎄?"

키보드를 몇 번 두드려 본 오택수는 눈을 껌뻑였다.

"야. 종혁아. 최 경감."

"왜요? 얼마나 쌓였는데?"

"아니, 나 내년 진급 대상자다? 명단에 올랐어."

"오?"

"진짭니까?"

귀를 쫑긋 세운 팀원들이 몰려들었다가 축하의 말을 건넨다.

"축하드립니다, 오 경위님!"

"이제 오 경위님도 경감님!"

"하하, 고맙다."

자신과 진급은 인연이 없을 거라 여겼던 그였기에 팀원들의 축하가 얼떨떨하면서도 크게 다가온다.

'모두…….'

종혁 덕분이다.

종혁이 불러 주지 않았으면 이렇게 진급을 할 수 있었을까.

"아, 너희들도 한번 살펴봐!"

그 말에 눈을 크게 뜬 그들은 재빨리 자리로 돌아가 키보드를 두드렸고 이내 눈을 부릅떴다.

"우왁!"

"이예스!"

특진 포인트가 초과됐거나 거의 근접하다.

종혁은 뜨겁게 달아오르는 사무실에 피식 웃으며 사무실 한구석에 마련해 놓은 흡연실로 향했다.

담배에 불을 붙이니 오택수가 벌컥 문을 열고 들어온다.

"고맙다."

"응? 뭐가요?"

"……다 이 새끼야. 다."

"고맙다면서 왜 욕을 합니까?"

"몰라, 인마."

종혁은 얼굴을 붉히는 그를 보며 푸근히 웃었다.

"축하드립니다."

"그래……."

잠시 흡연실에 훈훈한 공기가 맴돌았다.

"아, 그런데 넌?"

올해 종혁이 이룩한 성과가 얼마나 많던가.

여기에 국회의원을 넘어트릴 만큼 큰 사건을 해결했고, 그에 전국 특수학교에 전면 조사가 들어간 상황이다. 아마 어마어마한 포인트가 쌓였을 터.

"경감 단 지 얼마나 됐다고요. 윗분들 곤란하게 만들 생각은 없습니다."

경감을 단 지 1년 만에 또 진급을 시킨다?

경찰도 사람인 이상, 종혁의 공로를 인정하면서도 볼멘소리를 할 수밖에 없다.

종혁 본인은 그런 남들의 시선은 신경을 쓰지도, 쓰고 싶지도 않지만 윗분들은 그렇지 못할 터.

그들을 곤란하게 만들면서까지 진급을 바라진 않았다. 지금도 충분히 만족할 만한 진급 속도였으니까.

"전 먼저 나갈 테니까 적당히 피우고 나오세요. 할 말도 있으니까."

"할 말?"

눈을 빛낸 오택수는 얼른 담배를 끄며 뒤를 따랐고, 종혁은 어수선해진 팀원들을 보며 손뼉을 쳤다.

짜악!

"이번 설화학교 사건을 곁에서 지켜보면서 느낀 점이 많아."

고개를 돌렸던 팀원들이 진지한 종혁의 얼굴에 자세를 바로 한다.

"경찰이 피해자의 말에 더 귀를 기울여 줬다면 어땠을까."

조상구 선생님이 박수영을 데리고 잠적한 이유가 뭐던 가. 경찰을 믿지 못해서다.

서천웅의 뒤를 봐줬던 모정대.

실종 신고를 했음에도 수사할 의지가 없던 경찰서.

"아니, 그보다 더 본질을 파고들어서 정신연령이 낮은 장애아라도 신고를 편히 할 수 있는 간편 신고 시스템이 있었다면 어땠을까."

물론 불가능에 가까운 이야기지만 그런 시스템이 있었 다면 아이들 중 누군가는 신고를 했을지 모른다.

만에 하나라도 가능성은 가능성. 제로가 아니다.

설화학교의 지적장애아들뿐만이 아니다.

말을 하거나 들을 수 없어 수화밖에 못하는 지체장애인 들이나 법적으로 보호를 받을 수 없는 불법 체류자들도 있다.

또한 경찰을 믿지 못하고, 112에 신고하기가 꺼려져 범 죄를 당하거나 목격을 하고도 침묵하는 사람들도 많았다.

"그런 이들을 위한 비대면 간편 신고 시스템, 우리가

만들자."

보다 나은 경찰의 이미지를 위해.

쿵!

순간 사무실이 방금 전과 다른 의미로 달아오른다.

"예!"

"비대면 간편 신고 시스템이라…… 이미 있잖아?"

"아닙니다. 기존 인터넷 신고처럼 복잡한 절차를 거쳐야 하는 게 아니라 문장 하나, 사진 한 장을 첨부하는 것만으로도 신고가 가능한 시스템을 구축하고자 하는 겁니다."

그러면서 신고자가 지금 사건이 접수됐는지, 수사가 진행 중인지, 사건이 종결됐는지까지 간편하게 알 수 있도록 만드는 거다.

또한 간편한 인증 시스템을 도입해 굳이 아이디를 생성하지 않아도 신고를 할 수 있도록 만드는 거다.

"신호 위반, 과속, 불법 주차 신고가 빗발치겠군. 장난 신고도."

"훌륭하십니다."

종혁은 솔직히 거기까진 생각지 못했다는 말을 덧붙였고, 기획조정관은 개소리 말라는 듯 코웃음을 터트렸다.

"우리 탁 까놓고 말하자. 그래, 새로운 신고 창구를 만들겠다. 의미가 좋아. 뜻도 좋고. 그런데……."

기획조정관의 눈빛이 흥미로 번들거렸다.

"이거 감찰 기관을 따로 만들자는 거잖아."

사건 접수부터 종결까지 국민이 안다는 건 문제가 아니다. 현재도 전화로 경찰서에 연락을 하면 그 정도는 알 수 있으니까.

문제는 이게 인터넷 사이트라는 점이다.

즉, 본청이 원하기만 한다면 마우스 클릭 몇 번으로 전국의 모든 수사 상황을 들여다볼 수 있다는 것이었다.

"그러면 어떤 견찰 새끼가 수사를 개좆같이 했는지 알 수 있겠지. 아니야?"

신고를 했는데 제대로 처리되지 않은 채 사건 종결이 된다면, 이를 납득하지 못한 사람은 분명 재신고를 할 터.

이때 본청은 그에 대한 사건 자료를 요구할 수가 있었다.

씨익!

종혁의 입술이 비틀렸다.

"신문고라고 생각해 주십시오."

정말 간절하고 억울한 피해자의 목소리를 들어 줄 신문고.

그러면서 얼마 전의 모정대처럼 아직까지도 숨어 있는 견찰을 후려칠 감찰 기관.

기획조정관의 입가에 비릿한 미소가 번지기 시작했다.

"소속은?"

"표면적으로는 신고센터가 되어야 한다고 생각합니다."

"각 청장님들을 모아야겠군. 그 전에 차장님부터 뵈어야겠지만."

"프레젠테이션을 준비하겠습니다."

종혁은 고개를 숙였다.

* * *

불이 켜진 본청의 대회의실.

전국 경찰청의 청장들이 눈살을 찌푸렸다.

올라올 때부터 이미 기분이 좋지 않았던 그들.

"그러니까 지금 그 말은 우리의 신고센터를 믿지 못하겠다는 건가?"

그들의 기분이 좋지 않았던 건 이런 이유 때문이다.

말이 간편 신고 시스템이지, 결국 너희의 신고센터를 믿지 못하니 새로 신고 창구를 개설하겠다는 것.

자존심이 상할 수밖에 없었다.

"그, 그럴 리가 없습니다!"

"그럼 뭔데?!"

"아, 그게……."

오늘 프레젠테이션을 맡은 경무부 소속의 삼십대 초반의 젊은 간부.

그는 전신을 짓누르는 압박감에 울상을 지으며 다급히 발표 서류를 뒤졌고, 멀리서 그걸 지켜보던 종혁은 어이없다는 듯 웃었다.

'씨발. 떠먹여 줘도!'

제안은 종혁이 했지만, 결국 새로운 부서를 만드는 일이다.

경무부에서 맡는 게 맞았다.

'그래서 넘겼는데…… 얼씨구?'

이젠 여기를 쳐다보기까지 한다.

"어이, 어딜 보는 거야! 지금 우리 말 안 들려?"

"지금 바쁜 사람들 모아놓고 뭐 하는 거야! 장난해?!"

"그, 그게……."

살벌해지는 분위기에 종혁은 옆에서 이마를 잡고 있는 경무부 간부를 응시했다.

"후우, 미안하다. 애써 넘겨줬는데……."

그냥 넘기기만 했는가?

아니다. 이 PPT까지 모두 종혁이 만든 그대로를 가져다 썼다.

즉, 발표만 하면 되는 일이라서 젊은 간부에게 맡겼는데, 혹여 자신의 밑에서도 종혁 같은 인물이 나올 수 있을까 해서, 또 자기도 잘할 수 있다고 하기에 맡겼는데 이렇게 똥을 싸고 있다.

"아닙니다."

한숨을 푹 내쉬며 일어선 종혁은 단상으로 걸어가 젊은 간부의 손에서 마이크를 뺏었다.

"이번 비대면 간편 신고 시스템을 건의한 기획조정 소속 경찰 이미지 마케팅팀의 최종혁 경감입니다."

종혁의 이름이 나오자 센터장들은 눈을 빛냈다.

박종명 부산청장은 슬쩍 손을 들며 잘하라며 응원을 했다.

'지랄.'

그가 뭔 짓을 했는지 아는 종혁은 속으로 코웃음을 치면서도 겉으론 고맙다며 미소를 보냈다.

"일단 청장님들께서 우려하시는 부분은 아니라고 할 수 있습니다. 어디까지나 신고 창구를 분할시켜서 센터 업무의 강도를 낮추자는 겁니다. 청장님들께서도 센터에서 접수하는 사건이 평균적으로 몇 개인지 다들 아시잖습니까. 그리고……."

종혁은 스크린을 향해 리모컨 버튼을 눌렀다.

[성희롱 & 진상, 장난 전화]

'이렇게 버튼 하나만 눌렀으면 됐을 텐데, 씨발!'

"신고를 받기도 바쁜데 경찰들을 붙잡고 이런 개짓거리나 하는 놈들 때문에 업무의 강도가 더 높아지지 않습니까."

경찰이라고 성희롱을 당하지 않는 게 아니다. 여경뿐만 아니라 남경들 역시도 이런 일들에 시달린다.

장난 전화는 또 어떤가.

신고센터에서는 이게 일상이었다.

"음."

"으음."

낯빛이 무거워진 청장들이 혀를 찬다.

안 그래도 이 부분은 꾸준히 제기되어 온 문제이기 때

문이다. 다만 신고센터가 한직에 가까운지라 묵인을 하고 뒤로 달랠 뿐.

또 이런 전화 중에서 사건으로 연결되는 경우도 있다 보니 단호하게 대처를 할 수가 없었다.

"물론 신고 창구를 분할시켜도 이런 놈들은 전화를 걸 테니, 그를 위해 매뉴얼을 강화하고 전담 부서를 설립할 것을 건의합니다."

오늘 이 프레젠테이션은 통보를 하는 게 아니라 이런 걸 만들 테니 협조해 줄 수 있겠냐 설득을 하기 위해 만든 자리다.

아무리 좋은 정책이라도 청장들이 반대를 한다면, 이택 문 경찰청장도 강력히 밀어붙일 수 없었다.

"전담 부서? 그러니까 욕받이를 만들자고?"

"정확히는 우리 경찰의 인권을 위해 이런 놈들을 따로 관리, 단호하게 법적 조치를 취할 수 있도록 만드는 겁니다."

종혁은 다시 리모컨을 눌렀다.

[지금부터 신고자님의 통화 내역은 모두 녹음이 되며, 법적으로 활용될 수 있음을 명시합니다.]

"전담 부서로 넘기는 대기콜에 이 문구를 삽입하는 겁니다."

"……호오. 억지력을 만들자는 건가?"

"나쁘지 않은데?"

112콜에 이 문구를 삽입한다면 신고를 하려다가도 마는 사람이 생길 테지만, 대기 콜에 삽입을 한다면 문제가 없다.

종혁은 그들의 분위기가 바뀌자 재빨리 입을 열었다.

"솔직히 이택문 경찰청장님께서 신고센터의 전문화 및 전문 인력 양성의 뜻을 밝히셨는데, 신고센터에 해가 될 일을 할 리가 없잖습니까. 보다 나은 센터를, 신고 문화를 만들고자 함이니 청장님들께서도 긍정적으로 생각해 주시길 부탁드립니다."

종혁은 부디 그래 주시라며 정중히 고개를 숙였고, 이제 오해가 모두 풀린 청장들은 고개를 주억거렸다.

"좋아. 우리가 오해한 건 사과하지. 한데 문제가 있어."

"인력 문제에 관한 것이라면, 올해 경장으로 진급을 하는 경찰들과 순환 보직을 마친 경위들을 대상으로 지원을 받을 예정입니다. 또한 청장님들께서 이 안건에 동의를 하셔서 통과가 된다면, 앞으로 순환 보직을 하는 초임 간부들은 무조건 이 시스템을 담당할 부서를 거치게 할 예정입니다."

본청은 치안상황 관리관 휘하의 위기관리센터에 편입이 될 것이다.

"물론 원활한 운영을 위해 각 센터에서도 관리자를 차출하게 될 겁니다."

현재는 임시적으로 이렇게 인력을 충원해 운영을 하되 이후 경찰대와 중앙경찰학교에서부터 전문적으로 배운

인력들로 점점 교체시킨다.

신고센터가 전문화될 때까지 길어야 7년이었다.

웅성웅성.

"좋은데?"

"응. 나쁘지 않아."

가장 좋은 건 바로 한직이었던 신고센터가 더 이상 한직이 아니게 된다는 점이다.

그 말은 즉 지방청의 권한과 TO, 예산이 늘어난다는 것.

청장들로서는 이 TO와 예산이 가장 마음에 들었다.

이 정도라면 거부할 이유가 없었다.

그들은 서로를 보며 고개를 끄덕였고, 종혁은 가슴을 쓸어내렸다.

'후, 고비를 넘겼군.'

그러던 종혁은 경무부 간부에게 넘기며 손을 뗀 내가 왜 이래야 하냐며 속으로 헛웃음을 터트렸다.

그때 박종명 부산청장이 입을 열었다.

"일단 신고센터를 위해 이렇게 애써 줘서 고맙군. 청장인 우리가 먼저 생각을 했어야 할 일이었기에 부끄럽기도 해."

"아닙니다."

"이 부분에 대해선 긍정적으로 생각하지."

"우리 대전청도 같은 생각이야."

"서울청도 마찬가지."

"감사합니다. 그럼 더 이상 질문이 없으시다면……."

"하나 더."

박종명 부산청장의 눈매가 좁아진다.

"이거 각 도의 일은 지방청에 맡기는 거······."

종혁은 말을 하다 마는 그를 보며 혀를 찼다.

'눈치챘군.'

역시 고위 간부답게 이 간편 신고 시스템 속에 숨겨진 다른 의도를 읽어 버렸다.

그런데 이는 박종명 부산청장뿐만이 아니다. 다른 지방청의 청장들 역시도 눈을 매섭게 빛내고 있었다.

"아니, 이건 경찰청장님을 뵙고 이야기를 나눠야겠군. 일단 총괄 관리감독은 치안상황 관리관이 맡게 되는 건 확실하겠지?"

"예, 그렇습니다."

'아, 또 불안하게 왜 그런 질문을······.'

종혁은 청장들 사이에 앉아 잘 부탁한다며 고개를 까딱이는 치안상황 관리관이 어느 쪽 파벌이었나 기억을 뒤져 봤다.

"훌륭한 프레젠테이션이었네. 정말 우리 부산청에 데려오고 싶어. 진심이야."

"엇! 욕심내기 있습니까? 이봐, 최 경감. 오늘 저녁 시간 돼?"

"어허. 최 경감은 우리 서울청에서······."

"하하. 더 이상 질문이 없으시다면 이상으로 프레젠테이션을 마치도록 하겠습니다. 감사합니다."

짝짝짝짝짝짝!

고개를 숙인 종혁은 한숨을 길게 내쉬었다.

'끝났군.'

이로써 올해 해야 될 일은 모두 끝났다.

이후 나머지를 지지든 볶든 모두 이들 고위 간부들의 일. 어차피 간편 신고 시스템이 통과되면 자연스럽게 이뤄질 일이었다.

다만 어디까지 양보하느냐, 뭘 얼마나 주고받느냐의 문제가 있을 뿐이다.

'이택문 청장님 파이팅.'

종혁은 어깨를 축 늘어뜨렸다.

* * *

그렇지 않아도 빠르게 흘러가던 시간은 12월이 되자 더 빨리 지나가 버렸다.

어느덧 12월 24일 크리스마스 이브.

거리엔 캐롤송이 울려 퍼졌고, 연인들과 가족들은 올해도 어김없이 찾아온 크리스마스 나들이를 위해 거리로 나섰다.

아쉽게도 화이트크리스마스는 아니었지만, 사람들의 입가엔 미소가 가득했다.

물론 모두가 행복한 건 아니었다.

웅성웅성.

사람들로 가득한 강남의 한 술집.

몸을 움츠린 종혁이 안으로 들어선다.

"어우, 추워. 올해는 유난히 추운 것 같네."

"흥. 겨우 이 정도 가지고 춥긴 뭐가 추워? 네가 군부대의 추위를 알아? 거긴…… 읍?! 읍읍!"

"예, 예. 거기까지만 합시다, 박수호 병장님."

말년 휴가를 나온 수호의 입을 틀어막은 종혁은 안쪽의 룸으로 향했다.

"저희 왔습니다!"

"요, 종혁!"

문을 여는 종혁을 발견하자마자 준형이 손을 번쩍 들며 인사를 한다. 그뿐만 아니라 다른 형들과 김재우도 손을 들며 둘을 반긴다.

대한민국의 레전드 보이그룹인 그들과 배우 정혁. 오랜만에 고등학교 시절 그 달동네의 멤버가 모두 모였다.

그런데 오늘도 여전히 텐션이 높은 준형을 제외한 다른 이들의 낯빛이 밝지가 않았다.

그 이유를 알고 있는 종혁과 박수호는 활짝 웃으며 준비한 하모니카를 입에 물었다.

삐리리리리!

"집 떠나와 열차 타고-."

"훈련소를 가는 날-!"

"야, 이 나쁜 새끼들아!"

"닥쳐-!"

그랬다. 준형을 제외한 이들 전원이 내년에 군대를 가게 된 것이다.

원래는 나이가 찬 멤버들만 가려고 했는데, 이왕 가는 김에 다 같이 입대를 하기로 한 그들.

"푸흐흐. 그런데 어쩌자고 이런 기특한 선택을 한 거예요?"

원래 역사대로라면 이들 중 몇 명은 군대에 가지 않는다. 국적이 미국인 터라 병역의 의무가 없는 탓이다.

그런 형들이 모두 자원입대를 신청했다.

그래서 얼마나 놀랐는지 모른다.

'솔직히 혁이 형이 제일 걱정됐지.'

원 역사대로라면 병역 비리에 얽혔을 그.

그런데 지금은 그런 낌새조차 없었다.

움찔!

"그건 뭐……."

종혁을 힐끔 본 그들은 풀썩 웃었다.

모두 경찰인 종혁 때문이다. 키다리 아저씨였던 종혁에게 미안해지기 싫어서. 쪽팔리기 싫어서 자원입대를 신청한 것이다.

"음?"

"아니야. 지금 상황에서 그게 뭐가 문제야. 군대에 간다는 게 중요하지."

"하. 군대를 안 가는 넌 모른다. 이 형들의 답답한 심정을."

자원입대를 선택했지만, 그래도 군대는 군대다.

24개월 동안 자유를 박탈당하는 곳.

그들의 마음은 심란 그 자체였다.

"전 압니다, 형들!"

"그래, 수호야! 우리 마음을 이해하는 사람은 너밖에 없구나!"

"어흑! 수호야!"

"수호 형!"

형들은 수호를 와락 끌어안으려 했지만, 수호는 코웃음을 치며 그들의 팔을 툭툭 쳐 냈다.

"응?"

"훈련병 찌끄래기도 못 되는 양반들이 어디 감히 말년 병장을 건드려? 미쳤어? 와, 이 형들 개념 없네."

"수, 수호야?"

"이야, 그 나이 먹고 이제야 군대 간다고? 그것도 1월에? 와, 씨. 나 같으면 그냥 자살했다. 내가 1월 군번이라서 장담합니다."

순간 룸에 침묵이 내려앉았다.

"……저 새끼 죽여."

"응. 죽이자."

"어? 자, 잠깐? 악! 아악!"

순간 시끄러워지는 룸.

한바탕 난리를 치는 그들을 무시한 종혁은 이 중 유일하게 군대를 안 가는 준형을 향해 술병을 들었다.

"저 멍청이들은 무시하고 마시죠."

"오우. 굿 아이디어. 만땅으로 따라 봐."

"부어! 마셔! 죽어!"

숙취는 내일의 나에게 맡기겠다는 듯 쏟아붓던 그들은 얼마 못 가 장렬히 산화하고 말았다.

"어흐. 군대 가기 싫어!"

"지금이라도 취소해 줘-!"

"2차! 2차아!"

"에라이, 이 진상들아."

그들이 타고 온 밴에 모두 구겨 넣은 종혁은 구슬땀을 뻘뻘 흘리는 매니저를 보며 안쓰러운 표정을 지었다.

"크리스마스이브인데 못 즐겨서 어떡해요?"

"하하, 괜찮습니다. 어차피 애인도 없는걸요."

"아……."

이 순간 종혁도 울고, 매니저도 울고, 수호도 울었다.

"그럼 가 보겠습니다."

"네, 조심히 들어가세요."

그렇게 차가 멀어지자 종혁은 수호에게 담배를 내밀었다.

"말년 휴가라고?"

"어. 1월 4일에 부대에 복귀했다 다시 나오면 돼."

"햐, 시간 참 빨리 가네."

수호가 군대에 간다고 난리블루스를 친 게 엊그제 같은데 벌써 제대다. 시간이 너무 빠르게 흐르는 것 같았다.

"수고했고, 고생했다."

그리고 무사히 견뎌 줘서 너무 고마웠다.

올해 유독 많았던 군 관련 사건사고.

종혁은 그때마다 수호는 괜찮은지 부대에 전화를 할 수밖에 없었다.

"뭘. 남들도 다 가는 건데."

"……풋. 역시 남자는 군대에 다녀와야 하는가 보다. 네가 그런 어른스러운 말을 다 할 줄 알고. 박수호 남자 됐다잉?"

"뭐야? 야, 이씨!"

"푸흐흐. 그래서 제대하고 뭐 할 거야? 계획은 세워 놨어?"

4학년 마지막 학기까지 모두 마친 후에야 군대에 간 수호.

"뭐, 일단은 푹 쉬었다가 여행 자금을 모아 볼까 생각 중이야."

"여행?"

"응! 해외여행! 렌트카를 타고 스위스의 눈 덮인 산맥의 도로를 쫙 달리면서 국경도 넘고 어?"

"……에라이."

변한 줄 알았는데 역시 알맹이는 그대로였다.

하지만 이것도 나쁘지는 않다.

흔히 여행은 무전여행이라고, 그래야 얻는 게 많다고 말하지만 몸 편하고 즐거운 휴가 같은 여행에서도 얻는 건 많다.

생각하고 받아들일 마음이 있다면 어떤 방식의 여행이
건 상관은 없다.

"그래, 뭐든 응원한다. 몸 무사히만 돌아와."

"역시 너라면 그렇게 말해 줄 거라고 생각했어! 그래서
그런데 종혁아……."

"응?"

"너 차에 대해 잘 알지?"

"차?"

종혁은 얘가 대체 뭘 부탁하려나 싶어 눈을 껌뻑였다.

* * *

띠디디디! 띠디디디!

격렬한 알람 소리에 눈을 번쩍 뜬 종혁은 코를 찌르는
술 냄새에 상체를 일으켰다가 피식 웃었다.

배를 모두 드러낸 채 이리저리 엉켜 잠들어 있는 친구들.

'저건 또 왜 저러고 자고 있는지.'

소영이가 수호의 배를 문 채 자고 있고, 이리나는 종혁
의 허벅지를 죽부인처럼 끌어안은 채 자고 있다. 현석과
현희는 그렇게 서로를 못 잡아먹어서 안달이면서도 서로
를 꼭 끌어안고 있다.

"음냐. 튼실해. 내 보물."

종혁은 허벅지를 문지르는 이리나를 무시하며 창밖으
로 고개를 돌렸다.

창밖으로 어스름히 해가 떠오르고 있다.

언제나 떠오르는 해지만, 오늘만큼은 각별하게 느껴진다.

"새해네."

2006년 새해의 첫 해.

2006년 새해가 밝았다.

이리나를 걷어차 침대 아래로 떨어트린 종혁은 화장실로 향했다.

"잘 먹겠습니다!"

"크허!"

"캬!"

"어머님, 짱짱!"

평소보다 더 떠들썩해진 식탁.

아침부터 술 먹은 자식들을 위해 북엇국을 끓여야 했던 고정숙의 표정은 심상치 않았고, 그 기색을 알아차린 종혁은 재빨리 무시를 했다.

"아, 현석이 너 올해부터 형사과 가지?"

경찰대학교 4학년들은 경찰서 형사과로 현장 실습을 나간다.

"아마 형사과 실습은 작년 생활안전과 실습과는 많이 다를 거야."

강력 사건을 곁에서 지켜보는 것이기 때문에 단단히 각오를 해야 된다.

형사과 생활도 아마 생각한 것과 많이 다를 것이다.

"걱정 마이소. 내도 긴장 빡 하고 있슴더."

"그래. 불편한 게 있으면 말해."

개입해서 도와주진 못할 지라도 근무 환경 개선에 참고할 점이 생길 거다.

"멘토링도 꼭 신청하고. 좀 귀찮더라도 성적에 플러스되는 거니까."

한국 경찰대 생도와 한국 경찰대로 교류를 하러 오는 외국 경찰대 생도, 그리고 담당 형사를 하나로 묶는 멘토링 시스템.

아마 배울 게 많을 것이다.

고개를 끄덕인 종혁은 현희를 봤다.

이젠 어엿한 고등학생 아가씨가 되어 버린 현희.

다행히 오빠를 닮지 않아 키가 165센티미터나 된다.

"현희는 법대를 노린다고?"

"응. 이 문디가 갱찰대 가는 바람에 아부지가 얼마나 섭섭했노. 그래서 나라도 갈라고요."

"뭐라 캤쌌노. 니 주제에 검사가 가능하다 생각하는 기가?"

"니보다 내 머리가 더 똑똑한 거 모르나?"

"니? 니이? 이 문디 가시나가 오빠한테!"

"쳐 봐라. 아나, 쳐 봐라. 그라믄 종혁 오빠야가 참 좋아라 하긋다. 글제?"

그 말에 차마 주먹을 휘두르지 못하는 현석의 모습에 피식 웃은 종혁은 입을 열었다.

"그럼 지금부터 아예 사법고시 준비하는 게 좋을 거야."

"응? 와예?"

2009년이면 한국에 로스쿨 제도가 도입되면서 사법고시가 폐지 수순을 밟게 된다. 완전히 폐지가 되는 건 2017년이지만 말이다.

회귀 전과 달리 현몽준이 강력한 대권주자이기에 어찌 될지는 잘 모르겠지만, 미리 준비해서 나쁠 건 없었다.

"이른 나이에 패스를 하면 그만큼 메리트가 있으니까. 아버님이 계시는 중앙지검에 들어가기도 수월할 거야."

"알겠심니더. 깊게 생각해 볼게예."

고등학생이라고 생각이 깊어진 현희. 참 보기가 좋았다.

종혁은 소영과 이리나를 봤다.

국내 굴지의 대기업에 입사해 이제 어엿한 사원이 된 소영과 통번역가로 커리어를 쌓아 가는 이리나.

걱정하지 않아도 알아서 잘해 내는 두 사람의 모습에 기특함을 느끼며 그는 순철에게 고개를 돌렸다.

"철이 넌 대학교 어떡할 거야? 갈 거야?"

"일단 준비는……."

참 떠들썩한 식탁 위.

그곳의 중심에 있는 종혁을 빤히 바라보던 고정숙은 고개를 끄덕이며 입을 열었다.

"아들, 오늘 시간 되지?"

"예? 예, 되죠. 왜요, 무슨 일 있어요?"

"그럼 아버지 납골당에 좀 다녀오자."

"음? 예, 뭐. 알겠습니다."

* * *

납골당에 들른 그날, 어머니 고정숙이 아버지에게 속으로 무슨 말을 했는지 종혁은 알 수가 없었다.

그저 돌아서는 어머니의 얼굴이 꽤 후련했다는 것만 알 뿐이었다.

ㅡ이제부턴 나도 민간인이다ㅡ!

"아버님, 어머님께 전화는 드리고 나한테 연락하는 거지?"

ㅡ괜찮아. 옆에 계셔!

"아, 그래? 그럼 그동안 수고했고, 조심히 올라와라. 오늘 제대 축하주 한잔 하자."

ㅡ응!

전화를 끊은 종혁은 웃었다.

"정말 제대를 하긴 했네."

그만큼 시간이 빠르게 간 것 같아서 뭔가 좀 아쉬워졌던 종혁은 이내 아직 물기가 남아 있는 머리를 털며 사무실 안으로 들어갔다.

그러다 먼저 와 있는 누군가를 발견하곤 멈칫하며 뒷걸음질 쳐 편액을 살폈다.

'맞는데?'

"최종혁 경감?"

"……아, 새로 오신다던 팀장님이군요."

삼십대 후반으로 보이는 보통 체구의 사내가 안경을 추

켜세우며 경찰 정복을 입은 채 일어선다.

"충성. 경감 최종혁."

"그래, 충성. 총경 주한빈이다."

'이자가 최종혁 경감⋯⋯.'

주한빈은 종혁을 위아래로 훑으며 몇 달 전 있었던 일을 떠올렸다.

인천광역시의 한 일식집.

다다미가 깔린 방에 그와 오십대 후반의 장년인이 앉아 있다.

장년인은 주한빈에게 술병을 기울였고, 무릎을 꿇은 채 허리를 꼿꼿이 세운 그는 양손을 내밀어 공손히 술을 받았다.

"총경 주한빈. 감사합니다."

"본청에 가면 최종혁 경감이라고 있을 거야. 경찰대를 졸업한 26살 어린 간부지. 금메달리스트 선출이라 순환 보직을 씹었어."

주한빈은 눈을 빛냈다.

"엘리트군요."

"자네만 할까."

삼십대 후반에 총경이다. 주한빈도 초고속 승진의 길을 걸은 엘리트 중 엘리트였다.

"그리고 최기룡 전 청장과 이택문 현 청장의 사냥개이자 나팔수지."

정확히는 킹메이커지만, 장년인 인천청장은 믿지 않았다.

'26살의 햇병아리가 그런 일을 해낸다고?'

능력이 좋다는 건 인정한다.

하지만 최기룡이나 이택문이 내놓은 정책들은 결코 그 나이에 기획할 수 있는 성질의 것이 아니었다.

즉, 최기룡이나 이택문이 기획을 하고 종혁에게 넘겨 대신 발표하게 만든 것. 인천청장은 그런 의심을 품고 있었다.

꽤 합리적인 의심이었다.

'최종혁. 무척이나 쓸 만한 패지.'

사건 해결 능력이 혀를 내두를 정도고, 일을 맡기면 백 퍼센트, 아니 천 퍼센트의 성과를 올린다. 거기다 자산도 많다.

26살의 나이에 이 정도 능력이라면 충분히 경악스럽다.

그래서 최기룡과 이택문이 종혁을 키우는 것일 터.

요샌 강력한 차기 경찰청장 후보인 박종명 부산청장도 종혁을 노린다는 소문도 있었다.

"놈을 잘 꼬드겨 봐. 주 총경의 애완견으로 만들어 보란 소리야."

그래서 이택문이 앞으로 펼칠 정책을 한발 먼저 알게 되어 그걸 보강해 먼저 제시한다면, 차기 경찰청장도 욕심은 아닐 터.

주한빈을 보내기 위해 양보한 것들이 많다 보니 최종혁은 꼭 데려와야 했다.

"부서 팀원들을 휘어잡는 능력이 탁월한 자네라면 충분히 해낼 수 있겠지?"

언제나 부서장이 되면 몇 달 안 가서 팀원들을 장난감 병정처럼 일사불란하게 움직이게 만드는 재주가 탁월한 주한빈.

이런 이유로 주한빈을 경찰 이미지 마케팅팀에 보내는 것이다.

그를 따르는 총경급, 아니 경무관까지의 간부를 포함해도 주한빈만큼의 카리스마와 능력을 보이는 인물은 없었기 때문이다.

이런 인천청장의 기대에 가슴이 울렁인 주한빈은 고개를 깊이 숙였다.

"저를 택해 주신 이 은혜, 원하시는 결과로 갚겠습니다."

"그래. 믿지."

주한빈은 감사의 뜻으로 술을 따랐다.

"더 질문할 건 없나?"

"없습니다."

인천청장은 의아한 눈으로 주한빈을 봤다.

"대략적으로나마 이전의 그들이 해낸 일을 파악하는 것과 그러지 않은 것의 차이를 왜 모르겠습니까. 하지만 그건 어디까지나 제가 없을 때 그들이 해낸 일일 뿐입니다."

대단하든 아니든 편견을 가지게 되면 앞으로 함께할 팀원들의 능력을 제대로 파악할 수 없을 터. 주한빈은 오직 자신이 보고 듣고 겪은 걸로 사람을 파악하는 타입의 사람이었다.

"이 역시도 부서 장악을 위해 필요한 일이니 믿고 맡겨 주십시오."

"훌륭하군. 정말 믿음직스러워."

"그 믿음, 결과로 보답하겠습니다."

"그래도 너무 밀어붙이진 마. 팀원들이 다 젊은 친구들이더군. 요새 젊은이들 대가 약하잖아?"

"하하. 걱정 마십시오."

그들의 밤은 그렇게 시작되었다.

'청장님께선 너무 쥐어짜진 말라고 하셨지만…….'

그래도 기강은 잡아야 했다. 그래야 원활하게 부서를 장악할 수 있으니 말이다.

마침 또 이렇게 명분도 주고 있지 않던가.

"지금 시간이 몇시지?"

"음. 9시 40분입니다."

"개판이군."

'갑자기?'

종혁은 눈을 껌뻑였고, 아무도 없는 사무실을 둘러본 주한빈의 눈에 경멸이 들어찼다.

"이 시간까지 아무도 출근을 안 하다니……."

그가 세상에서 가장 경멸하는 지각이었다.

"거기다 복장은 또 왜 그따위지?"

상의 단추 두 개가 풀려 있는 종혁.

"정말 개판이야. 경찰 이미지 마케팅팀은 원래 이러나?"

원래 이렇게 개판이냐, 네가 이렇게 만들었냐는 그의 물음에 종혁의 눈이 가늘어졌다.

냄새가 난다. FM 꼰대와 트러블의 냄새가 말이다.

'이것 봐라?'

"죄송합니다. 바로 팀원들을 소집하겠습니다."

"음?"

종혁은 의아해하는 그를 일견하며 핸드폰을 꺼내 들어 최재수에게 전화를 걸었다.

"새 팀장님께서 오셨다. 1분. 총원 집합."

―추, 충성! 야, 뛰어!

핸드폰 폴더를 닫은 종혁은 싱긋 웃었다.

"1분만 기다려 주십시오."

주한빈은 미간을 좁혔다.

그리고 사무실의 문턱을 가운데 두고 둘의 눈싸움이 시작됐다.

잠시 후.

다다다다다!

"비켜요, 비켜!"

"꺄악!"

운동복 바지만 입은 채 복도를 달려오는 팀원들과 경찰 홍보단.

복도를 지나던 여경들이 행복한 비명을 지른다.

"헉! 헉! 아, 아직 1분 안 지났죠?"

종혁은 가쁜 숨을 몰아쉬는 그들의 질문을 무시하며 입을 열었다.

"총원 차렷."

처저척!

"새 팀장님께 대하여 경례."

"충성!"

뒤에서 터지는 뜨거운 경례 구호에 종혁은 이제야 상황을 파악하는 주한빈 팀장을 향해 거수경례를 했다.

"충성. 죄송합니다. 8시에 출근을 해서 운동을 하던 중이었습니다. 시무식인 내일까지 일이 없어서 그랬는데, 이렇게 팀장님이 오실 줄 알았다면 참을 걸 그랬습니다. 첫 만남부터 못난 모습을 보여서 죄송합니다."

운동. 경찰이라면 남는 시간에 해야 되는 업무의 연장선.

아직 인사이동이 시작되기까지 시간이 며칠 남았는데, 왜 먼저 온 것도 모자라 상황 파악도 안 한 채 이 난리를 치냐는 뜻을 숨긴 종혁은 반성을 하고 있다는 듯 딱딱한 표정으로 말했다.

주한빈의 얼굴도 딱딱하게 굳었다.

"……충성. 총경 주한빈이다. 모두 들어와서 옷을 입도록."

"감사합니다."

팀원들은 약간 혼이 빠진 표정을 지으며 사무실 안으로 들어갔다.

"갈아입으면서 듣도록 해."

팀원들의 눈이 주한빈에게로 향한다.

"12시 50분에 업무 보고를 받을 테니 12시 40분까지 현재까지 한 업무를 요약할 수 있도록. 이상."

"……예?"

"아, 아니…….."

"문제 있나?"

당연히 문제가 있다. 팀이 창설된 지 이제 겨우 1년 차라지만, 그동안 경찰 이미지 마케팅팀이 얼마나 많은 일을 해냈던가.

그걸 고작 3시간 만에 요약을 할 수 있을 리가 없었다.

거기다 12시부턴 점심시간이다. 점심을 먹지 말란 소리였다.

그들의 불만이 얼굴 밖으로 표현이 되려고 하자 종혁이 몸으로 가리며 고개를 끄덕였다.

"예. 알겠습니다!"

"음."

종혁을 빤히 응시하다 고개를 끄덕인 주한빈 팀장은 자리에 앉았고, 종혁은 싱글싱글 웃으며 팀원들을 바라봤다.

"뭐해? 팀장님 말 못 들었어?"

"……옙!"

분명 웃고 있지만, 눈은 웃지 않는 종혁의 모습에 그들은 불만을 삼키며 자리에 앉았다.

그리고 세 시간 후, 사무실 내에 있는 회의실에서 업무 보고가 시작되었다.

하지만 그건 시작부터 막히게 됐다.

"잠깐. 이 서류는 왜 이렇지?"

[훌륭한 경찰 이미지 마케팅을 위한 개선 사항]

경찰 이미지 마케팅팀의 최고 업적인 서류 전반에 먹칠이 되어 있다. 그가 볼 수 있는 건 [젊은 피] 단락부터였다.

거기다 최근 경찰 이미지 마케팅팀에서 진행한 업무 서류는 아예 제목부터 먹칠이 되어 있다.

"지금 장난을 하자는 건가?"

"아, 그건 기획조정관님의 허가를 받으셔야 접근을 할 수가 있는 내용이기 때문에 그렇습니다."

"내가 이 팀의 팀장인데도 그래야 하는 건가?"

지금 널 밀어내고 온 것에 대해 반항을 하는 거냐는 눈빛에도 종혁은 흔들리지 않았다.

"기밀을 요하는 일이기 때문에 저희도 어쩔 수가 없습니다."

'그게 이택문 경찰청장님의 작년 최대 업적이거든요.'

이택문 경찰청장뿐이겠는가?

지방청 청장들과 고위 간부들 전체가 얽힌 일이다. 총경부터 고위 간부라지만, 그가 함부로 접근할 만한 내용이 아니었다.

그렇기에 종혁은 한 가지 사실을 파악할 수 있었다.

'이 인간 인천청장에게 아무것도 듣지 못했나 본데? 왜지?'

인천청장이 무리하게 딜을 하면서까지 보낸 인물이다.

그런데 그 손해를 감수하고서 이렇게 아무런 준비도 하지 않고 왔다?

의아함을 느낄 수밖에 없었지만 종혁은 일단 넘어가기로 했다.

"아니면 지금 기획조정관님께 연락을 드려서 허가를 받을까요?"

시계를 힐끔 본 주한빈은 혀를 찼다.

점심시간. 지금 연락을 할 순 없었다.

"……아니, 그냥 해."

"예."

종혁은 계속하라며 최재수에게 신호를 줬고, 업무 보고는 이어졌다. 다시 그렇게 오후 5시가 되자 업무에 대한 보고가 대략적으로 끝나게 됐다.

'대단하군. 이택문 경찰청장님.'

그가 얼마나 경찰 개혁을 바라는지, 또 그 뜻을 관철시키기 위해 얼마나 고심했는지 알 수 있는 시간이었다.

주한빈은 지친 얼굴인 그들의 모습을 보며 속으로 혀를 찼다.

"일단 인사이동이 시작되지도 않았는데 먼저 와서 미안하군. 하지만 인사이동이 끝난 후 바로 업무를 시작하기 위해서는 어쩔 수가 없었다는 걸 이해해 주길 바란다.

그 사과의 의미로 오늘 저녁엔 회식이 있을 예정이니 전원 참석하도록 해."

"……."

"옙! 뭐해. 팀장님께서 회식을 해 주신다잖아. 박수!"

"와아아아아……."

그제야 만족한 표정을 짓던 주한빈은 돌연 낯빛을 굳혔다.

"그리고 내가 정식적으로 팀장직을 인계받으면 한 가지 프로젝트를 진행할까 하는데……."

종혁과 팀원들의 눈이 빛난다.

'의욕 넘치는 FM? 최악인데…….'

그래도 일단 그의 능력이 어느 정도인지 파악을 해야 되기 때문에 들어는 봐야 했다.

종혁과 팀원들이 자세를 바로 하자 주한빈은 입을 열었다.

"작년 11월에 발생한 설화학교 사건을 모두 기억할 거야."

'설마…….'

"그걸 보며 느낀 점이 참 많아. 만약 그런 장애아들도 쉽게 신고를 할 수 있는 장치가 있었으면 어땠을까. 그뿐만이 아니야. 이 한국엔 경찰이 무섭고 절차가 복잡해 신고를 하기 힘든…… 뭐지?"

주한빈은 오묘한 눈빛으로 쳐다보는 팀원들의 모습에 미간을 좁혔다.

"혹시 그거 인터넷 간편 신고 시스템을 말하시려는 겁

니까?"

흠칫!

종혁은 어떻게 알았냐는 듯 노려보는 주한빈의 모습에 머리를 긁적였다.

"그거 저희가 이미 진행 중인 일입니다만⋯⋯."

"뭐?"

종혁은 제목부터 먹칠이 된 서류를 가리켰다.

"이게 그겁니다. 비대면 간편 신고 시스템. 모든 지방청 청장님의 동의를 얻고 제작에 들어갔는데, 한 달 후부터 시범 테스트를 시작할 예정입니다."

속에 숨겨진 뜻이 경찰로 하여금 상부에 불신만 심어줄 수 있기에 아예 통째로 기밀이 되어 버린 프로젝트.

제작이 완료되면 겉으로 드러낼 수 있는 부분만 추려 내용을 공개할 예정이었다.

"⋯⋯."

툭!

당황한 주한빈은 들고 있던 볼펜을 떨어트렸다.

* * *

주한빈이 말한 회식은 삼겹살에 소주였다.

하지만 1인분에 무려 16000원이나 하는 비싼 강남의 삼겹살에 복분자주였다.

'그런데!'

모두 깨작거리고 있다.

박봉인 경찰이 어디서 이런 걸 먹어 봤을까 신세계를 보여 주고자 하는 마음에 데려왔는데, 이리도 심드렁한 모습을 보이고 있다.

주한빈의 낯빛이 딱딱하게 굳었다.

'야, 오늘 팀장님이 뭐 먹으러 가자고 했지?'

'박달 대개 코스 요리랑 2차로 와인 바.'

시무식이 끝나면 본격적으로 시작될 업무.

종혁은 새로운 팀장이 오기 전에 마지막 여유를 즐기자며 회식을 제안했었다.

90퍼센트는 종혁이 부담하고 나머진 n분의 1, 갈 사람만 갈 2차는 종혁이 100퍼센트 부담이었다.

그런데 삼겹살에 소주다. 비싸 봤자 어차피 삼겹살에 소주.

물론 삼겹살에 소주도 감사하지만 잔뜩 기대를 했기에 실망할 수밖에 없었다.

"풉!"

종혁은 웃음을 터트린 오택수의 옆구리를 쿡 눌렀다.

"크흠. 죄송합니다. 사레가 들려서."

"허흠. 아니야. 지금 너무 비싸서 얼어붙은 거 같은데, 내 주머니 사정은 걱정하지 말고 마음껏 먹어. 팀장으로서 이 정도도 못 사 주겠어? 앞으로 먹고 싶은 거 있으면 언제든 말해."

직장에선 꽉 쥐지만 밖에선 풀어 주는 것. 그게 주한빈이 휘하 직원들을 다루는 방법이었다.

"큽! 아, 죄송합니다. 목이 계속 막히는군요. 뭣들 해. 비싼 음식 두고 제사 지낼래?"

"아, 아닙니다!"

"모두 잔에 술들 따르고!"

"팀장님은 제 술을 받으시죠."

"허흠. 감질나게 소주잔은 무슨. 글라스에 따라 봐."

"오오. 괜찮으시겠습니까?"

"남자가 돼서 가오 떨어지게 소주잔은 무슨."

'오호?'

팀원들의 눈빛도 살짝 변하자 주한빈의 입꼬리가 살짝 떨렸다. 언제나 먹히는 필승의 패턴. 그의 어깨가 말랑하게 풀렸다.

"그래, 최 경감도 받아."

"예, 저도 글라스로 받겠습니다."

"……흠. 술 마실 줄 아는군. 받아."

"감사합니다. 그럼 한마디 하시죠."

고개를 끄덕인 주한빈이 술잔을 들며 입을 열었다.

"내가 갑자기 굴러온 돌이다 보니 다들 지금 어색할 거야. 싫어하는 사람도 있겠지."

흠칫.

몇몇 팀원이 몸을 굳혔지만, 주한빈은 못 본 척 말을 이었다.

"하지만 나도 어렵게 온 만큼 열심히 할 테니 다들 도와줬으면 좋겠어.”

“옙!”

종혁이 재빨리 대답하자 다른 팀원들도 황급히 대답했다.

“자, 그럼 내가 경찰 이미지 마케팅팀의 화합을 하고 선창하면, 위하여라고 후창해. 경찰 이미지 마케팅팀의 화합을!”

“위하여!”

채재쟁!

“크아!”

“캬아!”

그렇게 경찰이미지 마케팅팀의 회식이 시작됐다.

*　*　*

“뭐? 3차를 안 가겠다고? 나 때는 말이야! 어?”

“오오! 3차도 팀장님이 쏘시는 겁니까?!”

“아니…… 그뤠!”

“3차도 가자아!”

“가자아!”

그렇게 4차까지 달리자 시간은 어느새 11시가 됐다.

그럼에도 모두 자리를 지키는 4차 술자리.

얼굴이 시뻘겋게 달아오른 주한빈이 종혁의 어깨를 두드렸다.

“내가 대전청에 있을 때…… 음…….”

쿵!

"음? 팀장님? 벌써 주무십니까, 팀장님? 에고, 주무시네."

원형 테이블에 머리를 박은 주한빈을 흔들던 종혁은 팀원들에게 손짓을 하며 담배를 피우자는 시늉을 했다.

그러자 모두 일어서 식당을 빠져나갔다.

겨울의 저녁이라 매서운 바람이 몰아치자 잠시 술에서 깬 그들은 담배를 물며 한숨을 내쉬었다.

"하. 미치겠네."

하급자로선 제일 싫어하는 부류의 상사다.

"아, 씨발. 앞으로 일할 맛……."

"쉿."

종혁은 취기 하나 없는 눈으로 팀원들을 둘러봤다.

"아가리. 낮말은 새가 듣고, 밤말은 쥐가 듣는다 몰라? 사회생활 하루 이틀 해?"

그들은 황급히 입을 다물었고, 종혁은 밤하늘을 보며 담배 연기를 뿜었다.

"팀장님께서 날 밀어내고 오신 것 같다고 불만이 많은 건 알겠는데, 겉으로 드러내진 말자. 그럴 나이 아니잖아."

"……죄송합니다."

"나한테 죄송할 건 없고, 내일 팀장님께 죄송했다고 문자 넣어. 어차피 시무식이라 만날 테지만."

"예……."

종혁은 더욱 고개를 숙이는 그들의 모습에 담배를 빨았다.

그리고 걱정을 담아 팀원들을 봤다.

"팀장님께선 나와 다른 타입의 리더라 많은 게 달라질 거야."

아마 간식의 퀄리티부터 달라질 거다. 그동안은 종혁이 팀장직을 수행하기에 사비로 냉장고를 채웠지만, 이제부턴 그럴 수 없다.

"왜, 왜요?"

"그런 행위가 팀장의 권위를 넘보는 거니까."

"아니, 그런 게 어디 있……."

"너희도 한참 어린놈이 돈지랄해서 사람들 환심 사면 기분 나쁘잖아. 안 그래?"

"아……."

그제야 이해를 한 그들은 좋은 날 다 갔다며 울상을 지었다.

"다들 똑똑히 명심해. 팀장님은 부서장이야. 팀장님이 우리에게 맞추는 게 아니라, 우리가 팀장님에게 맞춰야 돼. 그게 조직이야."

"……예."

"알겠습니다."

"그래. 나도 중간에서 할 수 있을 만큼 해 볼 테니까 다 같이 노력해 보자."

"옙!"

"그럼 조심히 들어가고, 내일 멀쩡한 모습으로 보자. 팀장님께는 내가 잘 말할 테니까."

"예, 팀장님 아니, 부팀장님도 조심히 들어가세요."

"저흰 먼저 들어가 보겠습니다."

손을 저은 종혁은 오택수 최재수와 함께 식당 안으로 들어갔다.

"뭐야, 팀장님 어디······."

"어후. 취한다."

주한빈이 화상실 쪽에서 휘청거리며 다가온다.

"자! 5차 가야지, 5차. 뭐야, 다들 어디 갔어?"

"내일 시무식이잖습니까. 다들 힘들어하기도 하고 시간도 다 늦어서 제가 먼저 보냈습니다. 죄송합니다."

"아, 그랬어? 쯧. 젊은 사람들이 그렇게 체력이 없어서야······ 나 때는 아침 7시까지 마시고도 출근했는데······. 이모님, 계산!"

그렇게 계산을 마친 그들은 길가로 나와 택시를 잡았다.

끽!

"기사님, 워커힐 호텔이요."

"뭐야, 우리집은······."

"댁이 인천이시잖습니까. 시간이 너무 늦었습니다. 일단 오늘은 호텔에서 주무십시오. 세탁 서비스까지 예약했고, 1108호입니다. 그럼 내일 뵙겠습니다."

"······그래."

헤벌쭉 웃은 주한빈은 종혁의 목을 툭툭 두드렸다.

"이렇게만 해, 최 경감. 이렇게 날 도와주란 말이야. 난 최 경감만 믿는다."

"옙! 들어가십쇼!"

오택수와 최재수도 거수 경례를 했고, 문이 닫힌 택시는 출발했다. 그렇게 멀어지는 택시를 응시하던 오택수는 담배를 물며 입술을 비틀었다.

"그래서? 오늘 그렇게 혀를 현란하게 놀린 이유가 뭔데?"

오늘 종혁은 평소의 종혁 답지가 않았다. 간신도 이런 간신이 있을까 싶을 정도였다.

"픕!"

코웃음을 터트린 종혁도 담배를 물었다.

"저 인간 하나도 안 취했어요."

"……뭐?"

"예에?!"

"아니다. 몸은 취했지만 이성은 꽉 붙든? 아까 제가 애들한테 하던 말도 다 들었을걸요?"

분명 기척 하나가 가까이 온 걸 느꼈다.

"그, 그럼? 그래서 네가 혓바닥을 그렇게?"

"제가 전에 말했잖습니까. 새로 온 팀장에게 적극 협력할 거라고."

"아니, 그래도…… 대체 왜…….."

"능력은 있잖아요."

종혁이야 미래의 지식이 있으니 쉽게 떠올릴 수 있었던 간편 신고 시스템이다. 그런데 그걸 이제 아저씨가 되는 나이의 주한빈이 떠올렸다. 초고속 승진을 한 엘리트 간부답게 능력이 있단 소리다.

하지만 거기까지다.

적극 협력은 해 주되 아무것도 넘길 순 없다. 그것이 혹여 팀원들이라고 해도 말이다.

주한빈이 쥐어짤 때마다 팀원들은 종혁을 찾을 터.

"미친…… 아, 난 모르겠다. 너 알아서 해라, 씨발."

"와, 진짜 팀장님 머리는……."

타악!

종혁은 최재수의 입을 때렸다.

"입. 아가리. 저 팀장 앞에서도 날 팀장이라고 부를래?"

"아, 죄송합니다."

"주의하자."

"옙!"

"자, 그럼 우리도 집에 갑시다."

"아, 쓰브럴. 그냥 사무실에 정복을 가져다 놓을 걸 그랬나?"

오택수와 최재수는 애처롭게 저녁 서울의 택시를 잡기 위해 손을 흔들었다.

"택시-!"

한편 종혁이 예약한 호텔방에 들어와 따뜻한 물로 씻은 주한빈의 눈동자가 흔들리기 시작했다.

방에 들어오니 이제야 취기가 올라오기 시작한 것이다.

"흠. 최종혁 경감……."

솔직히 오늘 종혁의 모습에 그는 놀랄 수밖에 없었다.

반항이라도 할 줄 알았는데 전혀 그런 모습을 보이지 않았기 때문이다.

더욱이 이쪽에서 빈틈을 드러내자마자 팀원들을 다독이며 본모습을 보였다.

"우리가 팀장에게 맞춰야 한다라……. 나이가 어려서 걱정했는데 주제를 아는 간부였군."

이렇게 자기 주제까지 알고 있으니 인천청장도 욕심을 내는 것일 터. 아직 밑바닥을 다 본 건 아니지만 그래도 이 정도면 대충 견적이 나왔다고 봐야 했다.

어떻게 꼬드겨야 할까 생각을 하던 주한빈은 돌연 낯빛을 굳혔다.

"그보다 대단하군."

그 늙어서 굳은 머리로도 간편 신고 시스템을 생각해 낸 이택문 경찰청장. 한발 늦어서 아쉽긴 하지만 대단하단 생각밖에 안 든다.

그러면서도 같은 걸 생각했다는 것에 희망이 생긴다.

이대로 계속 진급을 하면서 주한빈 자신의 능력을 계속 갈고닦으면 경찰청장도 무리가 아니라는 희망이 말이다.

"이왕 조직에 들어왔으면 정점을 노려 봐야지."

족벌로 운영되는 대기업처럼 결코 넘을 수 없는 천장이 있는 게 아니라, 능력과 정치력이 좋으면 정점에 앉을 수 있는 경찰.

나름 상류층에 가까운 중산층에서 태어난 그로선 충분히 노려 볼 수 있는 목표였다.

만족스럽게 웃으며 침대에 누운 그는 이불을 목 끝까지 끌어 올렸다.

그 순간 스멀스멀 올라오던 취기가 그의 머리끝까지 덮쳤다.

* * *

다음 날, 주한빈이 약간 부스스한 얼굴로 나타난 걸 제외하면 시무식도 무사히 끝나면서 본격적인 업무가 시작됐다.

"내가 다른 걸 바라는 건 아니야. 복장 단정, 시간 엄수, 상명하복. 딱 정도만 지키란 거야."

"옙!"

"좋아. 그럼 구호 한번 하고 가지. 경찰 이미지 마케팅팀-!"

"파, 파이팅!"

"경찰 이미지 마케팅팀-!"

"파이팅!"

"업무 시작!"

'아주 별걸 다하는구나.'

종혁은 컴퓨터를 켜는 주한빈에게 다가갔다.

"그럼 저와 오택수 경위는 출장 나갔다 오겠습니다."

"출장?"

팀원들도 다급히 종혁을 봤다.

"콘텐츠 제작 현장을 둘러보면서 관리를 해야 돼서 말

입니다. 출장계도 이미 제출했고, 승인도 났습니다."

"언제 복귀하지?"

"전국 촬영장을 다 돌아봐야 해서 꽤 걸리지 않을까 싶습니다만."

그래야 너도 편하지 않냐는 종혁의 의미심장한 미소에, 이쪽을 보며 간절한 표정을 짓고 있다가 재빨리 고개를 돌리는 팀원들을 발견한 주한빈은 미소를 지었다.

'정말 협력을 해 주는군.'

그는 이제 의심을 완전히 내려놓았다.

"알았어. 다녀와."

"충성. 가죠, 오 경위님."

"충성."

'안 돼! 가지 마!'

팀원들은 속으로 손을 뻗었지만, 그중 최재수의 간절함이 제일 컸지만 종혁과 오택수는 무시하며 사무실을 빠져나갔다.

"야, 나도 모르는 출장은 언제 잡았냐?"

"어제요."

어제 업무 보고가 끝나자 기획조정관에게 연락을 해서 받아 냈다. 주한빈은 아직 정식으로 발령받아 온 게 아니라서 문제는 없었다.

"이유는?"

"내가 없어야 귀한 줄 알죠."

입술을 비튼 종혁은 핸드폰을 들었다.

"예, 사장님. 저 최종혁입니다. 예, 예. 내일부터 빵을 배송하지 않으셔도 된다는 말을 전하려고 전화 드렸습니다. 아뇨, 아뇨. 다른 가게를 뚫은 게 아니라 새 팀장님이 오셔서요."

오택수는 키득키득 웃었다.

"잔인한 새끼."

주한빈은 꿈에도 모를 거다.

종혁은 주한빈이 부서를 장악하라고 자리를 비우는 게 아니라 불만을 만들기 위해서 비우는 거란 걸.

"가죠."

그동안 아침 배달을 받았던 모든 업체와의 계약을 끊은 종혁은 오택수를 툭 쳤다.

"어디부터?"

"음. 부산부터?"

종혁은 정말 전국을 돌 생각이었다.

끼룩끼룩! 끼룩끼룩!

겨울인데도 춥지 않은지 갈매기가 울어 대는 부산의 바닷가.

"아이고. 오셨어요, 최 팀장님!"

"하하. 잘 계셨죠? 그리고 저 이제 팀장이 아니라 부팀장입니다. 팀장님께서 새로 오셨거든요."

"아……."

"전 아무렇지 않으니까 표정 푸세요. 그보다 촬영에는

문제없죠?”

“그, 그럼요! 아, 안으로 오시죠!”

종혁과 오택수는 조연출의 안내를 받아 촬영 현장으로 향했다.

부산을 무대로 마약계 형사와 마약 중간 판매책이 협력하여 거대 마약 조직의 보스를 잡는 이야기를 그린 영화의 촬영 현장.

종혁은 감독과 감독의 뒤에서 모니터링을 하던 배우들을 향해 거수경례를 했다.

“충성.”

극중 마약반 10년 차 형사 역할을 맡은 윤성민.

현재도 그렇고 미래에도 연기력으로 흠잡을 곳 없는 연기파 배우다. 훗날 두 개의 천만작품에 주연으로 출연하며 천만배우에 등극한다.

그 옆에 있는 류승재 배우 역시도 대표적인 연기파 배우다.

“오셨습니까, 최 팀장님!”

“푸핫. 억양이 부산 사람 다 되셨네요.”

“으흐흐. 부산 형사를 맡았는데 당연히 이래야지요.”

“저도요!”

종혁은 이들이 그만큼 영화에 몰입해 주는 것 같아서 기분이 좋았다.

“아, 맞아. 그리고 저 이제 팀장 아닙니다.”

종혁은 놀라는 감독과 윤성민을 향해 사정을 설명했다.

"그렇다고 제 투자가 중단되는 일은 없을 테니 걱정 마세요."

경찰 이미지 마케팅팀의 명의가 아니라 개인 투자자로서 투자를 하며 경찰 이미지에 대해 컨트롤을 하는 종혁.

이건 자신의 업적이기에 팀장이 새로 왔다고 해서 투자를 끊을 순 없었다. 물론 이후 촬영되는 영화나 드라마들은 달라지게 될 테지만 말이다.

이를 모르는 감독은 가슴을 쓸어내렸다.

"그럼 전 믿고 가겠습니다."

"예. 좋은 영상미 부탁드립니다."

종혁은 윤성민을 봤다.

"연기하는 데 어려운 점은 없으세요?"

"어데요. 그런 것 없심…… 하하, 그런 것 없습니다. 최 팀장님, 아니 최 부팀장님이 마약반 형사님들도 소개시켜 주시고 교도소에 있는 마약 판매책과도 인터뷰를 시켜 주셨잖습니까."

"옙! 저도 와…… 마약 중간 판매책이 그렇게 무서운 사람들이란 걸 처음 알았잖아요. 연기에 도움이 크게 됐으니 너무 걱정 마십쇼! 충성, 충성!"

"하하, 다행이네요. 그럼 계속 좋은 연기 부탁드리겠습니다."

배우들의 컨디션도 좋은 것 같자 종혁은 만족하며 돌아섰다.

그때였다.

"아, 저 부팀장님."

"예?"

"음…… 아닙니다."

종혁은 말을 하다 마는 윤성민을 보며 미간을 좁혔다.

"왜요. 무슨 일이신데요. 편히 말해 주세요."

종혁의 따뜻한 재촉에 우물쭈물 거리던 윤성민은 결국 입을 열었다.

"그게……."

"슛 들어가겠습니다! 준비해 주세요!"

"아닙니다. 그럼! 가자, 승재야."

혀를 찬 종혁은 류승재와 함께 카메라 앞으로 향하는 윤성민을 보며 미간을 좁혔다.

'뭐지?'

"야, 시작한다."

"하이-! 액션!"

종혁은 시작된 배우들의 연기에 입을 다물었다.

* * *

오후부터 시작된 촬영은 새벽까지 진행됐다.

그때까지 남아 촬영을 지켜보던 종혁은 슬그머니 따뜻한 캔커피를 챙겨들고 윤성민에게로 향했다.

"이것 좀 드시면서 하세요.

고된 촬영에 넋이 나가 있던 윤성민은 추운 기온에 얼

어붙어 가던 손가락이 녹아들자 재빨리 캔을 따서 입으로 가져갔다.

꿀꺽꿀꺽!

"아따, 살긋다! 고맙습니데이."

"하하."

종혁은 함께 가져온 캔커피를 따며 그의 옆에 앉았고, 뭔가를 눈치챈 윤성민은 다시 우물쭈물하다가 입을 열었다.

"부팀장님, 그게 말입니다. 그게…… 후우, 제 지인이 웬 회사에 거금을 투자했는데 말입니다."

"음? 그런데요?"

"아무리 생각해 봐도 이게 마음에 걸려서 말입니다. 제가 연기밥만 먹다 보니 사회에 대해 잘 몰라서 그러는지도 모르는데……."

"예, 편하게 말씀하세요."

"원래 투자 배당금이라는 게 1년에 20퍼센트씩 주고 그럽니까?"

흠칫!

어디서 많이들은 것 같은 레퍼토리.

순간 낯빛이 굳어졌던 종혁은 재빨리 표정을 풀며 어깨를 으쓱였다.

"그거야 회사마다 다르죠. 건실한 회사라면 그렇게도 줄 수가 있긴 한데……."

거짓말이다. 세상 그 어떤 회사라도 투자자에게 1년에 20퍼센트씩 배당을 해 주는 곳은 없다. 정말 자금이 급한 곳이나 그런 지키지도 못할 약속을 남발할 것이다.

"무슨 회사라고 하던가요?"

"음. 무슨 의료 기기를 대여해 주는 회사라던데……."

움찔!

시선을 아래로 내린 종혁의 주먹이 꽉 쥐어졌다.

"아, 그래요? 정확한 건 모르시고요?"

"저는 원체 그런 것에 관심이 없어서, 하하. 제 지인에게 한번 물어볼까요?"

"음. 그래 주시면 감사하겠습니다. 그래야 우리 배우님께서 걱정을 하지 않으실 테니까요."

"어이구. 이거 제가 괜한 말을 한 게 아닌가 싶네요."

"아닙니다. 경찰이라면 당연히 해야 될 일이죠. 아무튼 제가 한번 알아볼 테니까 우리 윤 배우님께서는 아무 걱정 마시고 연기만 잘해 주십시오. 파이팅."

"옙! 파이팅!"

일어나 몸을 돌린 종혁은 입술을 비틀었다.

'드디어 나타났구나, 조희구.'

대한민국 역사상 최악의 사기꾼.

희대의 사기꾼, 조희구.

그는 의료 기기 대여라는 다단계 투자 사기를 했던 사기꾼이었다.

4장. 조 대표님

조 대표님

　하룻밤 묵어가기 위해 찾은 부산의 한 호텔.

　맥주캔을 쥔 종혁이 생각에 잠겨 있다.

　'조희구.'

　2004년부터 2008년까지 다단계 투자 사기를 벌인 사기꾼으로서 당시 밝혀진 피해액만 무려 약 5조 원.

　후에 피해 사실이 더 드러나면서 피해액은 기하급수적으로 늘어난다.

　그의 사기 아이템이 바로 의료 기기 대여.

　투자자에게 투자를 받아 의료 기기를 사들이고, 그걸 국내 병원들에 대여를 하면서 나오는 대여비로 매해 40에서 50퍼센트의 투자 배당을 실현.

　총 8만여 명의 피해자를 양산한 희대의 사기꾼이다.

　지인이 지인을 소개시키고, 또 그 지인이 지인을 소개

시키며 투자에 대한 비밀을 지켰기에 조희구가 도주하기 전까지 대한민국 국민들은 이런 사기꾼이 있는지조차 몰랐다.

대동강 물을 팔아먹은 봉이 김선달도 배워야 할 수준의 사기꾼.

'그런데 지금은 배당률이 20퍼센트란 말이지…….'

왜인지 느낌이 온다.

이전부터 계속 의심해 왔던 게 현실이 되려고 하는 느낌.

종혁이 손에 쥔 맥주캔이 우그러지기 시작했다.

"정말 아무리 생각해도 말이 안 된단 말이야."

"뭐가요?"

"투자 배당액이 원금의 20퍼센트라는 거 말이야. 그게 말이 돼? 그럼 그 회사는 뭘 먹고사는데?"

말을 하던 오택수의 표정이 싸늘하게 굳었다.

"야, 이거 사기 아니야?"

"사기 맞을걸요?"

"……뭐?"

종혁은 들고 온 가방에서 노트북을 꺼내 철량리 사건 파일을 보여 줬다.

"야, 이거……."

종혁은 고개를 끄덕였다.

"투자 아이템만 다를 뿐 똑같은 수법이죠."

"미친!"

종혁은 외투를 챙겨 들며 벌떡 일어나는 오택수를 보며

고개를 모로 기울였다.

"어디 가시게요?"

"어디긴! 이 새끼들 잡으러 가야지!"

"잡아서 어쩌게요."

"뭐, 인마?!"

종혁은 예전에 누군가들에게 했던 그 말을 그대로 했다.

"뭘로 어떻게 사기를 입증할 건데요?"

모든 사기가 그렇지만 특히 이 다단계 투자 사기는 사기의 입증이 힘들다. 자기들이 원하는 목표치의 금액을 채울 때까지 배당금을 계속 지불하기 때문이다.

"합법적으로 배당을 하는데 저희가 뭘 어쩔 수 없잖아요."

영업 방해로 신고나 당하지 않으면 다행이다.

"하지만 그렇다고 이놈들을 가만히 내버려 둘 순 없잖아!"

"그렇죠. 내버려 둘 순 없죠."

"야."

장난하냐며 오택수의 표정이 사나워지자 종혁은 싱긋 웃었다.

"그러니 우리도 용돈이나 벌러 갑시다."

"뭐?"

"꽁으로 돈을 준다는데 받아 줘야죠. 비상금은 얼마나 있어요?"

"……어? 야, 잠깐?"

종혁의 미소가 음흉하게 변질되어 갔다.

＊　＊　＊

뜨끈한 돼지국밥을 한 그릇 말아먹어 속이 든든한 오후. 종혁은 부산에 위치한 7층 건물을 응시하며 담배를 물었다.

'이러니 못 찾았지.'

회귀 전, 서울에 위치했던 조희구의 회사.

그런데 지금은 부산이다. 심지어 회사명도 달랐다.

의심은 점점 확신이 되어 가고 있었다.

"야, 알아보니까 저거 월세던데?"

전화를 마치고 돌아온 오택수의 입술이 비틀어진다.

"당연하겠죠."

언제 튀어야 할지 모르는 사기꾼은 웬만해선 전세나 매매를 하지 않는다.

"들어가죠."

둘은 로비로 진입했다.

로비는 제법 그럴듯하게 꾸며져 있었다.

"화성병원 계약서 다시 한번 검토해 봐."

"아오! 강원도까지 언제 가냐."

"JH메디컬!"

"아자아자아자!"

2층까지 터서 천장이 높고 넓은 로비 안, 정장을 입은 사람들이 바쁘게 돌아다닌다. 자세히 뜯어봐도 여느 회사와 다를 바가 없는 모습이다.

그런 로비를 가로지른 종혁과 오택수는 안내프런트에
서며 경찰공무원증을 내밀었다.

"오늘 3시에 투자관리 2과 최소현 대리님과 약속을 잡
은 본청 경찰 이미지 마케팅팀의 최종혁 경감입니다."

"오택수 경위입니다."

"아, 그러시군요! 잠시만요!"

활짝 웃은 프런트의 안내 직원은 전화기를 들어 전화를
걸었고, 종혁과 오택수는 서로를 보며 눈을 빛냈다.

"네, 그럼 수고하세요. 3층에서 우측으로 가시면 돼요."

"감사합니다. 그럼."

고개를 숙인 종혁과 오택수는 엘리베이터로 향했고, 그
모습을 바라보던 안내 직원은 다시 전화기를 들었다.

"최종혁. 나타났습니다."

눈빛이 서늘해진 그녀는 블라우스 안에 숨겨진 목걸이
를 쓰다듬었다.

한편, 엘리베이터 안.

"재밌네. 방금 봤지?"

보통 일반적인 사람들은 경찰이라고 소개하면 제일 처음
엔 몸이 경직된다. 미리 알고 있었든 아니든 마찬가지다.

찔리는 게 있는 놈들은 그게 좀 더 심하다. 이게 일반
적인 반응이다.

그런데 경찰이라고 말했는데도 안내 직원은 오히려 기

다렸다는 듯한 반응을 보였다. 그 옆에 있던 다른 직원도 마찬가지다.

"우릴 기다린 걸까, 아님 그만큼 경찰이 자주 온다는 걸까."

"전자이길 바라야죠."

"……쯧. 그래, 그러길 바라야지."

후자면 골치가 아파지기에 오택수는 전자이길 바랐다.

하지만 종혁은 아니었다.

'조희구 차일드.'

조희구에게 뇌물을 받아먹고 뒤를 봐준 놈들 중 형사들이 있다.

문제는 그들 전원이 그동안 상부가 춘 칼춤에 의해 싹 다 옷을 벗었다는 점이다.

거기다 여긴 원래 놈의 본사가 있던 서울이 아니라 부산이다. 회귀 전의 지식은 아무런 소용이 없다고 봐야 했다.

하지만 그와 상관없이 심장이 뛴다.

'놈들일까, 아닐까.'

로비에선 놈들의 증표를 발견하지 못했다.

띵!

문이 열리자 엘리베이터 앞에서 기다리던 사람들이 종혁의 덩치에 흠칫 놀라며 비켜선다. 그런 그들을 지나친 둘은 복도를 걸어 투자관리 2과 최소현 대리를 찾았다.

"최소현 대리님?"

움찔!

"아, 오셨어요?"

환하게 웃으며 몸을 일으킨 이십대 후반의 여성.

두근두근!

종혁의 심장이 더 가쁘게 뛴다.

"과장님, 저 손님들과 이야기 좀 나누고 올게요!"

"어, 그래!"

"이쪽으로 오세요!"

벌떡 일어나 손으로 안쪽을 가리키는 그녀.

그에 종혁은 푸근히 웃었다.

'그래. 너희 맞구나.'

그녀가 아니다.

전화 때문에 손을 저은 과장. 그의 손가락에 아주 많이 봐서 이젠 익숙하기까지한 검은 보석의 반지가 끼워져 있었다.

놈들이 맞았다.

* * *

"최종혁, 이놈이 왜 왔는지 알아봤어?"

종혁은 최소현 대리와 구석에 놓인 테이블로 향한 그 시각, 7층이 분주하다. 본사에서 요주의 감시 대상으로 올린 인물 최종혁이 나타났기 때문이다.

어떻게? 왜?

혹여 냄새라도 맡을까 종혁과 연관된 인물은 의도적으

로 피했다. 그런데도 종혁이 이곳에 나타났다.

그것도 경찰이라고 뻔히 밝힌 채 말이다.

"자, 잘 모르겠습니다!"

"모르면 일이 끝나? 회사 일 그따위로 할 거야?!"

"죄송합니다! 다시 알아보겠습니다!"

"이번 일과 관계가 없어 보이는데, 한 개의 제보가 있습니다. 경찰 이미지 미게팅팀에 새로운 팀장이 왔다고 합니다!"

"……그거 자세히 알아봐!"

그렇게 시끄러운 사무실 옆, 대표실.

병원복을 입은 채 얼굴에 붕대를 감은 여성이 차를 홀짝인다.

불과 얼마 전까지만 해도 서울의 한 지부의 지부장을 맡고 있었던 그녀.

그런 그녀의 맞은편에 앉은 선한 인상의 오십대 중년 미남 조희구가 푸근한 미소를 짓는다.

"시끄럽군요."

"그럴 수밖에 없는 놈이거든."

"이야기는 들었습니다. 러시아가 원하는 청년이라죠?"

콰직!

여성 지부장이 쥔 찻잔에 금이 간다.

"때려죽여도 시원치 않을 개새끼지."

종혁 때문에 가족과 생이별을 하게 됐다.

종혁 때문에 장남의 결혼식에 참석하지 못하게 됐다.

절망에서 구원을 당한 이후 처음으로 낳은 행복의 결실. 결혼식 날 하고 싶은 말이 참 많았는데, 이젠 할 수가 없었다.

빠드득!

"이런. 그렇게 화내시면 얼굴이 틀어집니다, 지부장님."

흠칫 놀라 얼굴에 손을 가져갔던 여성 지부장은 이내 조희구를 째려봤다.

"지부장 됐다고 성격이 많이 능글맞아졌어, 조 지부장. 아니, 조 대표라고 불러 줘야 하나?"

옛날엔 이렇게 마주 앉아 그녀의 얼굴을 바라볼 수조차 없었던 조희구.

그러나 시간이 흐른 지금, 조희구는 실실 웃으며 녹차의 구수함까지 즐겼다.

"그래서 온 이유가 뭔 것 같습니까?"

"……모르지, 나야."

서울에 있어야 할 놈이 뜬금없이 부산에 내려왔다. 그 이유조차 수배가 안 되는 상황이었다.

"흠. 그럼 어쩔 수가 없군요."

"음?"

"직접 알아보는 수밖에."

"잠깐……!"

"다녀오겠습니다."

손을 저은 조희구는 휘적휘적 사무실을 빠져나갔다.

"이봐, 조 지부장! 조 대표! 저놈이 진짜!"

* * *

"아, 감사합니다."

투자관리 2과 옆에 놓인 작은 테이블.

종혁과 오택수가 최소현 대리가 주는 커피를 받아 들었다.

"아니에요. 그보다 저희에게 궁금한 점이 있어서 오셨다고요?"

"예. 제 지인이 이 회사에 2억을 투자했다고 하는데 아무래도 처음 듣는 회사라서 말입니다."

"호호. 그럴 수밖에요. 저희 JH메디컬은 2004년 말에 설립이 됐거든요. 그래서 모르시는 분들이 많으세요."

종혁은 눈을 가늘게 떴다.

"그런데도 벌써 이렇게 큰 건물을 회사로 쓰시는 겁니까? 이거 역시 제 생각이 맞는 것 같군요."

뭔가 의미심장한 말.

종혁의 두 눈에 담긴 조소를 읽은 최소현 대리는 눈을 가늘게 떴다.

"어떤 생각을 말씀하시는 거죠?"

"뭐긴 뭐겠습니까, 사기지."

쿠웅!

그 음성을 들은 주위의 사람들이 몸을 멈추며 종혁은 바라봤다. 오택수도 갑자기 혹 찌른 종혁의 말에 다급히 종혁을 봤고, 낯빛을 딱딱하게 굳힌 최소현 대리는 가져온 자료를 정리했다.

"나가시는 길은 저쪽입니다."

매정하게 바깥을 가리키는 그녀의 두 눈에 분노가 가득하다.

그에 종혁은 실실 웃었다.

"호오. 지금 저희를 내쫓는 겁니까? 이거 의심을 확신이라고 생각해도 되는 부분이죠?"

"나가 주시죠. 경비원을 부르기 전에!"

그녀뿐만이 아니다. 주위에 있던 사람들 역시 살기등등한 눈으로 종혁과 오택수를 노려봤다.

'이 미친놈이 진짜.'

속으로 한숨을 폭 내쉰 오택수는 일단 종혁의 장단에 맞춰 주기로 했다.

"야, 멀쩡한 남의 영업장에 와서 이게 뭔 짓이야. 일어나. 일단 나가자."

"아, 놔 봐요. 지금 반응이 의심스럽잖아요."

"이봐요!"

"이 사람이 지금! 경찰이면 이래도 되는 겁니까?!"

"야, 경비원 불러! 아니, 경찰에 신고해!"

사무실이 삽시간에 시끄러워지며 종혁과 오택수를 위협한다.

하지만 종혁은 아랑곳하지 않고 그들의 짓는 표정과 목소리, 몸짓을 눈에 담았다.

그때였다.

"왜 사무실에서 목소리를 높이는 겁니까."

"대, 대표님!"

최소현 대리뿐만 아니라 투자관리부의 사람들 모두가 몸을 벌떡 일으킨다.

고개를 돌린 종혁은 피식 웃었다.

대한민국 형사로서 어떻게 저 얼굴을 잊을 수 있을까.

사람 좋은 선한 인상 속에 추악하고 거대한 악을 숨긴 악마, 희대의 사기꾼 조희구.

'실제로 보니 더 호감상이네.'

회귀 전, 조희구가 도망을 칠 때 급이 되지 않아서 종혁은 쫓지 못했던 사기꾼 조희구.

그래서인지 조희구의 선한 미소가 더 크게 다가온다.

그 어떤 의심쟁이라도 저 미소엔 녹아내릴 터.

하지만 종혁이 웃는 건 그 때문이 아니었다. 이제야 의심과 의문이 모두 풀렸기 때문이다.

놈들을 더 알게 될수록 더 짙어졌던 의심.

'조희구는 정말 놈들과 연관이 없는가, 그럼 왜 놈들은 조희구를 가만 놔뒀는가'라는 의심.

돈에 미친 이놈들이 5조 원 이상을 가로챈 조희구를 가만 놔둔 이유가 있었다.

'그래. 너도 맞구나, 조희구.'

조희구도 놈들의 일원이었다.

조희구의 왼손 약지에 끼워진 검은 보석의 커다란 금반지가 그 증거였다.

몸을 일으킨 종혁은 웃는 낮으로 손을 내밀었다.

"반갑습니다. 대한민국 경찰청 경찰 이미지 마케팅팀의 최종혁 경감입니다."

"어이구, 이런. 대단한 분께서 오셨군요. 반갑습니다. JH메디컬의 대표 조희구입니다."

온기를 가득 품은 꺼끌꺼끌한 손바닥이 마치 난 당당하다는 듯 힘을 준다.

"일단 제 직원의 무례한 행동에 사과를 드립니다."

"대, 대표님!"

"쓰읍. 일단 물러나세요, 최소현 대리."

"흡!"

'대, 대표님이 내 이름을!'

감동했던 그녀는 그런 대표에게 혼이 난 것 같자 침울해진 얼굴로 물러섰고, 조희구는 종혁을 향해 미소를 지었다.

"그런데 최종혁 경감님도 썩 좋은 말을 하시진 않은 것 같은데 말입니다. 왜 그러셨는지 이야기를 들을 수 있겠습니까?"

'재밌네.'

사기꾼 놈이, 그것도 그 조직의 놈이 마치 정말 회사의 대표처럼 구는 모습을 보니 정말 재밌다.

종혁은 안 될 것 없다는 듯 어깨를 으쓱이며 입을 열었다.

"제 지인에게 들어 보니 투자에 관한 배당금이 일 년에 20퍼센트더군요."

"······아, 하하하하하!"

"웃어?"

종혁은 어이없다는 듯 웃었고, 직원들은 다시 폭발했다.

"이 사람이 정말!"

"이봐!"

조희구는 직원들을 향해 진정하라 손짓을 하곤 미소를 지었다.

"무슨 오해를 하시는지 잘 알겠습니다. 일단 앉으실까요? 원하신다면 그 지인분의 투자금을 돌려 드릴 테니 일단 앉으시죠."

"흠······."

"이렇게 선 상태에서도 들으셔도 상관은 없습니다."

"읊어 봐."

종혁의 무례한 말에 조희구의 미소는 더욱 짙어졌다.

"그럼 그러시죠. 최종혁 경감님, 경감님은 혹시 아십니까? 한 해 면허를 취득하는 의사가 몇 명이나 될까요? 그중 전문의가 되는 의사의 숫자는 또 몇 명일까요?"

전문의와 전공의. 단 한 글자 차이지만 그 뜻과 대우는 천양지차다. 영어로 하면 레지던트와 펠로우.

"······수천 명일 테죠."

의대를 졸업해 의사국가고시에 합격하면 의사 자격을 부여받는 일반의.

의학을 더 배우고자 여러 과를 돌며 적성을 찾는 수련

의, 인턴.

그중 한 과를 택해 더 깊게 의학을 갈고닦는 전공의,
레지던트.

이 과정을 모두 거치고 나서야 겨우 시험을 응시할 자
격을 부여받고, 전문 시험을 통과해야 될 수 있는 전문
의, 펠로우.

수천 명일 수밖에 없다.

"그렇습니다! 그런데 그 전공의 중 과연 몇 퍼센트가 전
문의가 되어 큰 병원에서 일 할 수 있을까요? 그리고 전
문의가 된다고 해도 계속 큰 병원에서 근무를 할까요?"

"……아니겠죠."

전문 분야가 아니라서 그런지 대답이 궁해지는 종혁의
모습에 조희구는 미소는 더욱 만발했다.

"그렇죠, 아니죠! 누군가는 정치에 밀려 큰 병원을 관
둘 거고, 누군가는 군 문제 때문에 군의관이나 공보의가
될 거고, 누군가는 작은 병원에서 일을 할 겁니다. 하지
만 대다수는 개업을 택합니다! 최 경감님, 이 대한민국에
병원이 몇 개인지 아십니까?"

"음. 동네 작은 의원들까지 합하면…… 수만 개가 되겠
죠."

"바로 그렇습니다! 하루에도 수백의 병원이 생겼다가
사라집니다. 그럼 여기서 질문 하나 더 드리겠습니다. 의
사가 병원을 개업하는 데 돈이 얼마나 들 것 같습니까?!"

일반의냐, 전문의냐, 전공의냐 차이가 있겠지만 못해

도 수익이다.

"한 해에 개업을 하는 의사의 숫자는? 그들 전부가 배경이 든든해 빚 없이 개업을 할 수 있을까요? 3차 병원들도 과연 빚 없이 운영이 가능할까요?"

"으음……."

주춤 물러서는 종혁의 모습에 조희구는 처연하게 웃으며 양팔을 벌렸다. 그리고 쐐기를 박았다.

"저흰 그런 가난한 의사들과 병원에 의료 기기를 저렴하게 대여해 드리고, 그 수익으로 투자 배당을 실현하는 겁니다. 이래도 저희가 사기꾼 같습니까?"

종혁은 입술을 깨물었다.

하지만 물러서지 않고 억지로 눈을 매섭게 빛냈다.

"일단 제품 목록과 매출 목록, 그리고 재무재표 좀 봅시다."

'끝났군.'

속으로 코웃음을 친 조희구는 마무리를 위해 한숨을 내뱉었다.

"음…… 원래는 안 되는 거지만, 본청에서 오셨다니 오픈해 드리죠. 잠시만 기다려 주십시오."

자신들은 거리낄 게 없다는 듯한 모습.

오택수의 눈동자가 흔들렸다.

하지만…….

'어이구, 정말? 정말 다 보여 줄 거야?'

종혁은 이 멍청한 결정에 속으로 환한 미소를 지었다.

*　*　*

탁!

숨소리마저 죽인 조용한 사무실에 서류가 덮어지는 소리가 울린다. 그리고 일어선 종혁은 터져 나오려는 웃음을 겨우 참으며 조희구를 향해 허리를 숙였다.

'와, 이 새끼들 정말 다 오픈했네?'

"오해를 해서 죄송합니다, 조 대표님."

속으로 주먹을 불끈 쥐었던 조희구는 아니라는 듯 고개를 저었고, 종혁은 한숨을 푹 내쉬었다.

그리고 조희구를 빤히 응시하며 입을 열었다.

"아무래도 전에 제가 담당했던 어떤 사기 사건과 사기 아이템이 비슷하여 오해를 했던 것 같습니다. 깊이 사과드립니다."

흠칫!

순간 이 말이 나올지 몰라 몸을 굳혔던 조희구는 낯살을 찌푸렸고, 종혁은 잘 나가다가 끝에 삐끗하는 그의 모습에 속으로 킬킬 웃었다.

"으음. 그런가요?"

"예. 그 개새끼들 때문에 이런 건실한 사업가분을……. 하아. 정말 죄송합니다, 조 대표님."

종혁은 직원들에게도 허리를 숙였고, 그제야 속사정을 알게 된 JH메디컬의 직원들은 불편한 표정을 지으면서도 고개를 끄덕였다.

"크흠. 하하, 아닙니다. 좀 불편하긴 하지만 그 부분은 이해하도록 하겠습니다. 그럼 의심은 모두 풀리신 겁니까?"

"예. 그런데 혹시 이 거래 목록을……."

조희구는 웃으며 서류를 끌어왔다.

"끙. 죄송합니다."

"하하. 아닙니다. 휴, 다행이군요."

너스레를 떠는 그의 모습에 종혁은 더 송구하다는 듯 고개를 숙였다.

"그럼 조심히 돌아가십시오. 전 바빠서 이만……."

"아!"

또 뭐냐는 듯 돌아본 조희구의 모습에 종혁은 머리를 긁적였다.

"이거 너무 죄송해서 그런데…… 또 사업 아이템이 너무 확실해 보여서 그런데…… 실례가 안 된다면 저도 투자를 할 수 있을까요?"

이렇게 회사를 뒤집어 놓고 이런 말을 하는 걸 계면쩍어하는 종혁의 모습에 직원들의 몸이 들썩였다.

'받아들이면 안 돼요, 대표님!'

'저 뻔뻔한 새끼가!'

'요새 어린놈들은 저래도 되는 거야?!'

'아, 진짜 받아들이면 안 되는데!'

그건 조희구도 마찬가지였다.

의도했건 의도하지 않았건 벌써 두 번이나 회사의 일을 방해한 종혁이다. 더 이상 연관 되는 건 사양이었다.

그렇기에 무슨 의도인가 파악하고자 눈을 가늘게 떴다.

하지만…….

"한 50억쯤 투자할 생각인데요, 대표님."

움찔!

'크헉!'

'흡?!'

거부하기엔 너무 많은 돈.

조희구조차도 눈이 파르르 떨렸다.

종혁은 그걸 보며 미소를 지었다.

"좀 적을까요, 조…… 대표님?"

세상 상쾌하게 웃은 종혁은 조희구가 뭐라 말하기 전에 오택수를 봤다.

"오 경위님은 어쩌실래요? 돈 없으면 한 20억쯤 빌려드릴 수 있는데……."

"끄응. 야, 아무리 그래도……."

"집 안 사실 거예요? 애들 대학 등록금은? 결혼은?"

50억도 놀라운데, 심지어 순식간에 70억이 됐다.

투자관리부 전원이 며칠을 밤낮 지새워야 유치할 수 있을지 알 수 없는 금액.

조희구도 마른침을 삼키며 종혁을 봤다.

'뭔가 냄새를 맡고 왔다면 이런 거금을 내놓을 수 있을까?'

아니다. 정상적인 사고방식을 가진 경찰이라면 일단 물러나서 동태를 살필 터. 이건 정말 넘어온 거라고 봐야 했다.

조희구는 형사마저 속인 자신의 말빨에 절로 흐뭇해졌다.

하지만 짚고 넘어가야 할 문제가 있었다.

"으음. 그런데 최종혁 경감님은 많이 어려 보이시는데……."

"제 명의로 된 건불이 몇 개 있어서요. 대출받으면 돼요."

"음……."

'그래, 이놈 부자였지.'

그것도 서울에 건물만 30채가 넘는 엄청난 부자다.

'그렇다면?'

"어이구. 제가 힘들게 찾아오신 분을 이런 누추한 곳에서 맞이했군요. 일단 저기 회의실로 가실까요?"

종혁은 뜨거운 열기를 머금는 조희구의 두 눈에 속으로 비릿하게 웃었다.

'그래? 먹음직스럽지? 그럼 닥치고 내 돈 불려, 새끼야.'

그리고 한참의 시간이 흐른 뒤.

"조심히 들어가십시오!"

"나쁜 놈들 많이 잡으십시오, 경감님-!"

조희구뿐만 아니라 투자관리부 모든 직원들의 구십도 인사를 받으며 건물을 나선 종혁과 오택수는 차에 오르자마자 웃음을 터트렸다.

"와, 씨발. 역시 돈이 좋긴 좋구나."

죽일 듯 노려보던 직원들의 눈빛이 봄날 사랑에 빠진

소녀처럼 풀어진 모습들이란…….

이제 놈들은 자신들이 뭔 짓을 해도 쉽게 의심하지 않을 터.

엄청난 소득이었다.

"씨발, 냅다 사기냐고 찌를 땐 정말 식겁했는데…….''

그게 이걸 위한 큰 그림이었다.

종혁은 혀를 내두르는 오택수를 보며 피식 웃었다.

"그래서 몇 개나 외우셨어요?"

"……300개 정도."

종혁이 어제 오택수에게 부산이 본사이니, 아마 투자자도 부산을 포함한 경상도에 집중되어 있을 거라 설명했다.

실제 몇몇 곳은 조희구가 직접 연락을 취해 거래 사실을 확인했다. 아마 경상도 지방의 거래처는 대부분 진짜일 터였다.

그에 종혁과 오택수는 다른 지방의 거래처들을 달달이 외웠다. 거짓이 있다면 분명 그곳에 섞여 있을 테니까.

"넌?"

"500개 정도요."

분명 이 중에서 거짓으로 거래한 곳이 있을 것이다.

그건 곧 놈들이 사기를 치고 있다는 증거.

이것만 확보하면 언제든 놈들을 칠 수가 있다.

돈은 돈대로 벌고서 말이다.

이놈들을 만나서 건진 진짜 소득은 바로 이것이었다.

"흐흐. 살다 보니 사기꾼 돈을 다 뺏어 보네."

"쉿. 우린 아무것도 모르는 겁니다."

"야, 내가 최재수냐? 음, 그런데…….."

문제가 있다.

"우리 이거 언제 다 뒤져 보냐?"

바보처럼 전화로 일일이 물어봤다가는 분명 자신들이 뒷조사를 하고 있다는 게 들통이 날 터.

즉, 직접 의료 기기를 대여했다는 병원에 찾아가 은밀히 알아봐야 했다.

사람을 매수하든, 직접 진료를 받으며 의료기기가 있는 곳에 들어가든 어떤 방법이든 시간이 꽹장히 걸릴 일이었다.

"괜찮아요. 다 알아보는 수가 있으니까."

"응? 어떻게?"

종혁은 대답 대신 핸드폰을 뒤졌다.

'국정원 차장님 번호가 몇 번이더라…….'

놈들로 의심되는 놈들을 발견했다면 눈을 붉히며 달려들 터.

'그것이 놈들을 쫓는 것이든, 알리는 것이든, 아니면 날 제거하려는 것이든.'

그에 대한 대비는 모두 해 놓은 상태다.

"아, 일단 의심하기 전에 출발하겠습니다!"

"음. 뭐, 그래! 출발-!"

그들을 태운 차는 이제 다른 지방으로 향했다.

한편 다시 대표이사실로 돌아온 조희구는 방금 전 일을 떠올리며 재밌다는 듯 웃었다.

"어떻게 됐어?"

"애송이더군요."

"⋯⋯뭐?"

조희구는 방금 전 있었던 일을 설명했고, 여성 지부장은 오묘한 눈빛을 지었다.

'그 정도밖에 안 되는 놈이었다고? 그 정도밖에 안 되는 놈에게 내가 이 꼴을 당했다고?'

그녀의 가슴속에 부아가 치민다.

눈빛이 절로 매서워진 그녀는 조희구를 노려봤다.

"그런데 거래 목록을 보여 줬다고? 괜찮겠어?"

"80퍼센트가 진짜인데 놈들이 뭘 어쩌겠습니까?"

그 많은 내용을 다 외운다는 것도 불가능하거니와 진실 속에 거짓을 숨겼다.

또 그들의 앞에서 전화를 해서 의심의 껍데기도 벗겼다. 혹여 운이 좋아 거짓 거래 목록으로 전화를 걸었다고 한들 실수였다고 변명을 하면 되는 일이었다.

'만약 그렇게 뒷조사를 한다면⋯⋯.'

누군가 JH메디컬에 대해 물어 오면 연락해 달라고 부탁한 병원도 꽤 된다. 종혁이 뒷조사를 시작하면 그때 제거를 하거나 회사의 힘을 이용해 아예 한국에서 내쫓아 버려도 될 터.

조희구의 눈빛이 서늘하게 가라앉았다.

"이제 투자자가 됐으니 거래 목록을 계속 요구할 수 있을 텐데?"

"진짜 목록을 보내 주면 됩니다."

"……."

조희구는 입을 다무는 그녀를 보며 속으로 피식 웃었다.

'늙은이가 지부를 폐쇄하더니 간이 쪼그라들었군.'

새삼 세월이 무상함을 느낀다.

예전에 밑에서 일할 때만 해도 참 잔인하고 무서웠던 그녀.

그녀의 사인 하나에 죽어 간 직원과 타깃이 몇 명이던가.

"거기다 알아보니 현장직도 아니더군요."

그렇다면 뭔가를 알아보는 데 제약이 많이 걸릴 수밖에 없다.

"또 아직 순환 보직 기간이고요."

"……맞아, 그랬지. 순환 보직."

상부가 가라고 하면 가야 되는 경찰의 순환 보직.

뭔가를 떠올린 그녀의 눈이 흉흉하게 빛나기 시작하자, 조희구는 속으로 혀를 찼다.

'늙으니 추잡해지는군. 언제 날 잡아서 치워 버려야 할 텐데…….'

그녀가 한때 무서웠다고 한들 이젠 같은 지부장이다.

이렇게 감정적인 존재는 회사에 있어 도움이 되지 않았고, 같은 지부에 지부장이 둘일 이유도 없었다.

서글서글 웃는 낮의 조희구의 가슴속에서 살의가 몽실

몽실 피어났다.

* * *

어느새 검게 물든 하늘에서 눈이 흩날리는 깃털처럼 쏟아지는 오후의 휴게소.

하얀 김이 모락모락 피어오르는 뜨거운 국물에 담긴 두꺼운 우동 면발이 종혁과 오택수의 입으로 빨려 들어간다.

후루룩! 후룩!

—아씨. 또 나 빼고 뭐 먹고 있어! 뭔데요? 맛있어요?

"겁나 맛있어. 역시 겨울엔 휴게소 우동이지!"

"어묵우동. 호두과자도 죽였지."

"들었지?"

—아오오! 누군 빵이 치는데 누구들은 씨발! 좋으시겠수다, 오택수 경감님!

그랬다. 인사 이동이 끝나면서 오택수도 정식으로 경감이 되었다.

"어. 겁나 좋아. 너도 먹고 싶으면 천안으로 달려와. 내가 쏜다."

—지금 여기서 천안을 어떻게 가요!

"못 오면 말고."

—앞으로 당신 차 타이어 빵꾸 나면 그거 나야! 알았어?!

종혁과 오택수는 최재수의 귀여운 앙탈에 피식 웃었다.

종혁은 핸드폰을 가져와 입을 열었다.

"그래서 사무실 분위기는 좀 어때?"

ㅡ……장난 아니죠.

점심시간을 제외하면 하루에 쉬는 시간이 30분이 채 안 된다.

점심시간조차 고작 30분. 2시간에 5분이나 겨우 쉬고, 화장실은 허락을 맡고 가야 하며, 담배는 하루에 겨우 다섯 개피만 필 수 있다.

외근을 가려고 해도 바로 복귀를 해야 될 만큼의 시간밖에 안 준다.

복장은 무조건 정복이며, 위에 점퍼를 입는 것은 불가. 그건 본청 내에서도 마찬가지다.

그런 와중에 정시 퇴근도 못한다.

만날 야근에 야근. 어쩌다 일찍 퇴근하면 회식. 저번 주말엔 등산도 다녀왔다.

"이야, 꼰대 중 상꼰대인데?"

고작 마흔도 안 된 인간이 하는 짓은 오십대 부장 저리 가라다. 지랄도 이 정도면 풍년이었다.

ㅡ진짜 얼른 오세요, 부팀장님. 이러다 진짜 살인날 것 같아요.

살인은 나지 않아도 팀원들의 마음에 부서 이동의 싹이 트고 있다. 이러다간 팀이 와해되어 버릴지도 모른다.

그 말에 종혁은 눈을 빛냈다.

"몰라. 상황 보고. 나도 바쁜데 눈까지 내리느라 발이 묶였어. 정 힘들면 내 자리에 초콜릿이랑 사탕 있거든?"

-우리가 애예요?!

"맨 밑에 서랍에 숙박권이나 식사 초대권, 백화점 상품권 같은 것들 있으니까 애들이 정 못 견뎌 하면 네가 눈치 봐서 적당히 나눠 줘. 그리고 본청 근처에 내 명의로 된 오피스텔 있으니까 거기 열쇠도 내주고. 너도 늦으면 그냥 거기서 자. 힘든 일 맡긴 것 같아서 미안해."

-⋯⋯훌쩍. 감사합니다.

"어? 최 경장, 울어?"

-큽! 끊을게요!

종혁은 전화가 끊긴 핸드폰을 황망히 쳐다보다 오택수를 응시했다. 그의 표정도 미안함으로 딱딱하게 굳어 있었다.

"생각보다 더 쥐어짜나 본데?"

"⋯⋯주 팀장도 알고 있을 테니까요. 팀원들이 도망치지 못할 걸."

"왜? 아⋯⋯."

종혁은 고개를 끄덕였다.

경찰 이미지 마케팅팀은 이택문 경찰청장이 조직한 태스크 포스다. 뭘 받았는지 모르지만, 거래 내용에 경찰 마케팅팀 팀원들의 부서 이동 불가가 포함되어 있을 터.

갑자기 입맛이 뚝 떨어진 둘은 남은 음식을 버리며 밖으로 나가 담배를 물었다.

시린 냉기가 그들의 옷 속을 파고들었다.

"어쩌냐. 지금이라도 돌아갈까?"

"지금 가면 말짱 도루묵이에요."

팀원들이 불만이 위로 향해야 된다.

이전에 있던 부서의 지인들에게 불만을 토로하든, 기획조정관에게 토로하든 어떻게든 토해진 불만이 그들을 거쳐 증폭되어 이택문 경찰청장에게로 향해야 된다.

그래야 명분이 생긴다.

'그래야 이택문 청장도 자신이 뭔 짓을 저질렀는지 알게 되겠지.'

다른 파벌과의 화합을 위해 자리를 내주는 것은 좋다.

그런데 그걸 종혁 자신과 제대로 상의하지 않았다. 그는 평소처럼 무심하게 통보하듯이 말했고, 결정을 내린 후에도 제대로 된 사과를 하지 않았다.

'내가 알아서 본인의 마음을 알아주겠거니 했겠지.'

하지만 그건 이택문 경찰청장의 실수다.

'난 당신의 애완동물이 아니거든.'

이리 오라면 오고, 저리 가라면 가는 애완동물이 아니라 어디까지나 목적을 위해 잠시 손을 잡은 것뿐이다.

놈들에 의해 옆구리가 꿰뚫려 병원에 입원을 했을 때 찾아온 걸 보면 나름 사람을 부릴 줄 아는 것 같지만, 이건 아니다.

이택문은 한 번 당할 필요가 있었다.

종혁은 그가 부를 때까지 돌아가지 않을 생각이었다.

'그래야 나도 개처럼 부림을 당하지 않을 테니까.'

이번 외유는 이택문 경찰청장, 그리고 후에 경찰청장이

될 고위 간부들과 다른 고위 간부들과의 신경전이기도 했다.

"지금 돌아가서 중재하면 대립하자는 꼴밖에 안 되고, 결정적으로 애들도 내 빈자리를 크게 받아들이지 못할 겁니다."

"쯧, 이 빌어먹을 놈의 정치. 이래서 내가 진급을 안 했던 거잖아."

"엥? 못한 게 아니라요?"

"시끄러워."

"큭큭. 아무튼 그런 거니까 조금만 참죠. 저도 끝까지 외면하진 않을 테니까."

"그래. 뭐든 피해자는 만들지 말자."

움찔!

'에이. 사람 찝찝하게.'

괜히 피해자 이야기를 꺼내서 사람 마음을 심란하게 만드는지 모르겠다.

종혁은 감정을 담아 오택수의 등을 때렸다.

퍼억!

"억?!"

"가시죠. 더 눈 내리면 정말 고속도로에 갇힙니다. 폭설 특보 떴잖아요."

"이 새끼가?"

띠리링! 띠리링!

"음?"

갑자기 울리는 핸드폰에 의아해하던 종혁은 발신자 표시에 친구 수호가 뜨자 냉큼 받았다.

"어, 무슨 일이야?"

─야, 종혁아. 경찰에 신고는 어떻게 해야 되냐?

"……뭐야. 무슨 일인데?"

─내가 아무리 참으려고 해도 못 참겠거든? 아니, 내가 전에 차에 대해 잘 아냐고 물어봤잖아.

"어, 너 중고차 살 거라고 그랬잖아."

─응. 내가 이 추운 날 알바를 시작하기에 아버지가 왜 그러냐고 묻더라고. 그래서 면허 따고 차 사려고 그런다고 했거든? 그러니까 아버지가 돈 빌려줄 테니 먼저 사라고. 지금 한참 값이 떨어질 시기라고. 그래서 중고차 매장 단지에 갔다?

"야, 너 설마?"

더 이상 말하지 않아도 친구 수호가 무슨 말을 하려는지 알 것 같다.

─씨, 씨발. 개새끼들……. 아버지가…… 씨발, 아빠가아!

"……너 지금 어디야."

종혁의 눈빛이 폭설이 쏟아지는 지금 기온보다 더 낮아졌다.

* * *

밖에선 겨울바람이 몰아치지만, 무덥다 못해 가만히 있

어도 땀이 줄줄 흐르는 6인 병실.

─낮 사이 내린 눈 때문에 기온이…….

병상에 앉아 식탁을 올린 사람들이 TV를 보며 이른 저녁의 젓가락을 움직인다.

그중엔 두꺼운 잠자리 안경을 쓴 수호의 아버지도 있었다.

"……푸후."

일을 당한 지 몇 시간이나 흘렀건만 아직도 분이 풀리지 않아 벌겋게 달아오른 얼굴로 한숨을 푹푹 내쉬는 그.

아들 앞에서 망신을 아버지의 가슴은 새까맣게 타들어가고 있었다.

그때였다.

드르륵 쾅!

"아버지!"

"풉!"

"켈록켈록!"

놀라서 사레가 들린 사람들 사이 두꺼운 허리보호대를 한 수호의 아버지가 종혁을 발견하곤 눈을 크게 뜬다.

"끄응……."

슬그머니 돌아눕는 그.

놀란 사람들을 향해 죄송하다는 사과를 하며 다가온 종혁은 그의 병상 옆에 놓인 간호인 침대에 어렵게 구한 수박을 내려놓으며 입을 열었다.

"또 성질 못 이겨서 소싯적처럼 주먹 휘두르다가 다치셨다면서요?"

흠칫!

수호의 아버지뿐만 아니라 다른 환자들도 놀란다.

"그러지 좀 마시라니까요. 그러다 잘못해서 크게 깽값 물게 되면 어쩌시려고요. 아니, 아들 친구가 경찰인데 이게 뭐예요?"

사람들의 놀람은 더욱 커진다.

그에 눈을 굴리며 분위기를 살핀 수호의 아버지 박권순이 슬그머니 돌아누웠다.

"어흠. 그게…… 윽!"

"잘한다, 잘해. 얼마나 다치셨는데요. 봐 봐요."

"큼. 됐어. 허리만 조금 삐끗했어. 그보다 국민 지키느라 바쁜 사람이 여기까진 뭐 하러 와."

"그럼 안 와요? 아버지가 사고 치셨다는데? 수호랑 어머님이랑 아주 못살겠다고 전화를……."

"커흠흠! 수호는?"

"음료수 좀 사 오라고 보냈어요. 아시잖아요, 저 아무거나 안 먹는 거."

"자랑이다. 하여튼 너는 그 까다로운 입 좀 고쳐야 해. 그 몸은 대체 어떻게 키웠는지 몰라."

"잘?"

"뭐 이놈아?"

"으흐흐. 아무튼 멀쩡하신 거 같으니 전 이만 일어날게요."

"으응? 벌써 가게? 정말 바쁜데 온 거야?"

"강원도에 출동 가다가 유턴해서 온 거예요. 다시 가

봐야 해요. 몸조리 잘하시고, 퇴원하면 봬요. 충성."

"그래, 충성. 어서 가."

드르륵, 탁!

문이 닫히자 수호의 아버지 박권순은 슬그머니 눈치를 보며 가슴을 쓸어내렸다.

"저……."

흠칫!

"예?"

"그 아들 친구가 경찰인가 봐요."

"아, 예. 저놈이 경찰대 졸업해서 간부예요, 경찰 간부."

"아이고, 젊은 나이에 대단하네. 아들도 군대 다녀온 후에 알바부터 알아본다면서요?"

"하하. 예."

"아들이나 아들 친구나 다 장하네, 장해."

자식이 칭찬받는데 싫어할 부모가 어디 있을까.

수호 아버지의 얼굴에 미소가 달리기 시작했다.

"그런데…… 옛날에 좀 날리셨다고?"

흠칫 몸을 굳혔던 수호의 아버지는 잔뜩 기대하는 듯한 사람들의 모습에 얼른 상황 파악을 하곤 슬그머니 가슴을 폈다.

"어흠. 별거 아니에요. 젊었을 적에 주먹 한 번 안 써본 사람 있습니까?"

"그렇지, 맞지! 그래도 그 나이 먹고도 정정하네."

"그러게. 난 이제 아침에 일어나는 것도 힘든데. 역시

젊음이 좋아!"

"하하하하하."

'고놈 참.'

이런 의도였을까.

수호의 아버지 박권순은 번개처럼 나타나 태풍처럼 휩쓸고 간 종혁을 향해 고마움을 표할 수밖에 없었다.

남자의 자존심을 지켜 준 아들 친구에게 말이다.

한편 병실 밖 복도.

문을 닫은 종혁은 자신의 의도를 눈치챈 건지 눈시울이 붉어진 수호의 등을 떠밀며 병원을 나섰다.

찰칵! 치이익!

"후우우."

종혁은 대체 뭘 잘못했다고 고개를 숙이는 수호에게 묻고 싶었다.

네 얼굴을 엉망으로 만든 놈이 그놈이냐고.

하지만 친구의 자존심이 상할까 물어볼 수가 없다. 그저 이름조차 듣지 못한 차팔이 놈을 향해 분노만 불태울 뿐.

빠드득!

'하, 이 개새끼가…….'

종혁은 머리끝까지 치솟은 화에 담배를 질겅질겅 씹었다.

수호는 그런 종혁의 모습에 얼굴을 구겼다.

솔직히 남자로서, 친구로서 자존심이 뭉개진다. 군대까지 제대한 놈이 몇 대 맞았다고 친구에게 조르르 일러

바친 게.

하지만 너무 억울하고, 속이 상해서 어쩔 수가 없었다.

'나쁜 새끼들! 혼자였으면 아무것도 아닌 새끼들이!'

언제나 거침이 없고 빛났던 친구 종혁을 닮고자 열심히 운동을 했고, 군대에서도 운동을 그만두지 않았다.

그런데 비겁하게 한 놈이 아니라 여러 놈이 위협했다.

그러다 아버지가 놈들 중 한 놈에게 밀려서 넘어져 다쳤다. 그 때문에 눈이 뒤집혀 달려들다 몇 대 맞은 것보다 그게 더 아프고 속상했다.

이래서 연락했던 거다.

하지만 그만큼 더 속이 상하는 게 있었다.

그 비겁한 놈들 때문에 어려서부터 우상이었던 친구에게 다시 나약한 모습을 보였다.

일본으로 졸업여행을 갔을 때, 벌써부터 사회생활을 하는 종혁의 모습에 어울리는 친구가 되겠다 그렇게 다짐했는데 또다시 나약한 모습을 보였다.

정말 미쳐 버릴 만큼 억울하고 또 억울했다.

하지만 일단 해야 될 말이 있었다.

"씨이. 와 줘서 고마…… 읍!"

"한 번만 더 고맙다고 해라. 확 씨."

"……그럼 고마운 게 고마운 거지! 씨발."

수호는 얼굴을 더 구겼다.

방금 전 일이 떠올라서 더 가슴이 뭉개진다.

'난 왜 방금 전 종혁이처럼 말하지 못했을까.'

난 왜 종혁이처럼 행동하지 못할까. 자괴감이 수호의 전신을 물들여 갔다.

빠악!

"우씨! 야!"

"삽질하지 말고. 어떡할 거야? 나랑 갈래, 말래?"

"……갈래. 갈 거야."

'그래서 그 새끼들 수갑 차는 기 꼭 볼 거야!'

종혁은 이를 악무는 수호의 모습에 흐뭇하게 웃었다.

'짜식이 그래도 깡은 있어. 그래, 이래야 내 친구지!'

"오냐. 잘 생각했다. 그럼 네 차, 오늘 산 차 어디 있어?"

"내 차?"

"환불 안 받을 거야?"

"……맞아. 환불해야지. 그래야지. 가자, 주차장에 있어! 윽?!"

종혁은 따라오라며 달리다 눈 바닥에 휘청이는 수호의 모습에 고개를 저으며 주차장으로 향했다.

* * *

'푸후우, 씨발. 불알도 얼겠네.'

눈은 그쳤지만 바람은 더 칼날처럼 매서워진 중고차 매매 단지.

두꺼운 점퍼를 입은 이십대 후반 사내의 얼굴이 샐쭉해 진다.

"아니, 형님. 그냥 가시겠다고요?"

마치 겁을 먹은 두꺼비처럼 몸집을 더 크게 부풀린 사내는 고개를 삐딱하게 기울였다.

"날 이렇게 고생시켜 놓고? 에이, 이건 아니지."

"하, 하지만 전부 생각보다 비싸고……."

이상한 차들도 많다.

"그래서 내가 싸게 해 드린다고 했잖아. 다른 게 비싸서 마음에 안 들면 이거 어때. 이게 98년식인데, 10만 킬로밖에 안 탔거든? 내가 진짜 싸게 8백에 드릴게. 좋다, 기분이다. 칠백팔십!"

"아, 아니에요. 그냥 다음에 올게요."

주춤주춤 물러나는 남성의 모습에 사내는 얼굴을 와락 구기며 본성을 드러냈다.

"하, 이 형님 정말 안 되겠네."

지이익.

지퍼를 내린 사내는 점퍼를 벗었다.

그러자 드러나는 문신. 반팔을 입어 드러난 팔 전체에 빼곡히 새겨진 문신이 남성을 위협한다.

"흡!"

"뭐야, 무슨 일인데?"

"아니, 어떤 손님이 차를 몇 대나 만져 놓고 안 사신다잖아요."

옆 사무실 앞에서 달달 떨며 담배를 피우던 덩치 큰 사람이 다가오자 남성의 낯빛은 더 안 좋아진다.

"뭐야?! 그런 개호로 새끼가 있어? 누군데? 이분이
야?"

"힉?!"

눈을 굴린 사내는 이내 손을 저었다.

"아니에요. 저분 아니세요."

"퉤! 거 손님도 애써 맘 잡고 사는 동생 고생시키지 말
고 좋게좋게 합시다. 그럼 수고해."

덩치는 윙크를 했고, 사내는 히죽 웃었다.

"예, 형님. 수고하십쇼!"

허리를 꾸벅 숙였다 편 사내는 남성에게 다가갔다.

"그래서 차를 사시겠다고, 마시겠다고?"

"……살게요. 사면 되잖아요."

사내는 히죽 웃었다.

"그래요. 잘 생각했어요. 오늘 본 것 중 어떤 거 사시
게? 내가 싸게 해 드릴게."

사내는 남성의 어깨에 팔을 얹으며 사무실 안으로 끌고
들어갔다.

"안녕히 가십쇼! 또 오세요, 형님!"

출발하는 차를 향해 허리를 숙인 사내는 담배를 물며
비릿하게 웃었다.

"형님은 씨발. 밖이었으면 눈도 못 마주쳤을 새끼가."

"방금 뉴그랜저 얼마에 팔았냐?"

방금 전 협력해 준 덩치가 다가오자 사내는 얼른 담배

를 내밀었다.

"흐흐. 방금 전엔 감사했습니다."

"뭘. 다 같이 힘든데 협력하며 사는 거지."

"캬, 역시. 형님 덕분에 딱 백 남겼습니다!"

원래는 3백을 더 후려쳤지만, 그걸 말했다간 오늘 양주를 사야 할 수도 있기에 그럴 수가 없다.

사내는 담배를 물며 말을 돌렸다.

"그런데 이렇게 돈 벌기 쉬워도 되나 몰라요."

"쉽겠냐? 그냥 요새 새끼들이 깡다구가 없어서 쉽게 파는 것처럼 보이는 거지? 나 때는 말이야……."

덩치는 수다에 시동을 걸었고, 사내는 아차 하며 낯빛을 흐렸다.

이번에도 화제를 돌려야 했다.

"그런데 오늘 그 땅딸보 부자 놈들은 괜찮을까요?"

"아, 걔들? 괜찮아. 딱 봐도 좆도 없어 보였잖아."

"그래요?"

벌써 3년째 이곳에서 일하는 사람의 말이니 믿을 수 있을 것이다. 가슴을 쓸어내리던 사내는 이를 악물었다.

오늘 아침에 찾아왔던 작은 키와 체구의 아빠와 아들.

생긴 것도 어수룩한 게 등쳐 먹을 수 있겠다 싶어 평소보다 더 세게 불렀는데, 아비란 놈이 목소리를 높이기 시작했다.

그러더니…….

욱신!

손을 내려다본 사내는 얼굴을 구겼다.

막판에 아들 새끼한테 제대로 물려서 결국 붕대를 감게 된 손.

결국 억지로 팔긴 했지만, 치료비를 생각하면 결국 손해다.

"큭큭. 괜찮냐?"

"몰라요. 좆도 아닌 씐따 새끼가…… 아오!"

이런 곳에서 일한다고 얕잡아 보는 미친 새끼들이 너무 많다.

"뭐 그래도……."

밀쳐 쓰러져 버둥거리던 아비 놈이나 '아, 아버지-!' 하며 신파를 찍던 아들놈이나 꽤 코미디였다.

친구들을 만나서 술안주로 씹을 거리가 생겼다.

"큭큭! 씨발. 그렇긴 해. 존나 웃기긴 했어?"

"뭐하냐. 다들 퇴근 안 해?"

"아, 형님."

사내와 덩치는 다가오는 삼십대 사내들을 향해 넙죽 허리를 숙였다. 같은 매매 단지의 옆 업체 형님들.

주위를 둘러본 사내와 덩치는 깜짝 놀랐다.

어느새 해가 거의 저문 것도 모자라 손님이 한 명도 보이질 않는다.

"씨펄!"

덩치는 위해 얼른 자신의 사무실로 돌아갔고, 핸드폰을 확인한 사내는 한숨을 내쉬었다.

"아직 사장님이 별말 없으시네요."

"그래? 어디 가셨는데?"

"화투패 만지러 갔습니다. 아, 그리고 아깐 감사했습니다."

"……아. 아까 아침에 그 븅신들? 됐어. 같은 처지에 돕고 사는 거지. 고마우면 나중에 양주나 쏴. 알지? 형들은 21살짜리 아니면 안 마신다."

'씨발!'

이제 차팔이 반년 차인 그가 돈이 얼마나 있겠는가.

하지만 이곳에서 계속 일하려면 어쩔 수가 없다.

"하하하. 당연하죠! 제가 풀코스로 아주 쫙……."

"잠깐. 쉿."

사내는 다급히 입을 다물었고, 다른 이들은 매매 단지의 입구를 향해 눈과 귀를 기울였다.

그때였다.

끼기긱 희미하게 타이어가 미끄러지는 소리가 그들의 귀를 울린다.

'손님!'

눈이 번쩍 뜨인 그들은 다급히 입구를 향해 달렸다.

그리고 그와 동시에 차량이 진입했고, 뒤늦게 퇴근 준비를 하던 모든 차팔이들이 사무실에서 튀어나온다.

"어서 오세요, 형님! 저희가 가장 쌉니다!"

"최고가 매입, 최저가 판매! 저희 용석이네가 가장 쌉니다!"

"아닙니다. 저희가 가장 쌉니다!"

"싸다, 싸! 이 가격에 못 구하십니다!"

순간 도떼기시장보다 더 시끄러워지는 매매 단지.

이십대 후반의 사내는 눈이 쌓인 채로 진입하는 차에 고개를 모로 기울였다.

'낯이 익은 차인데…… 아차.'

"여깁니다, 형님! 중고차는 F1! F1 레이싱카처럼 상태 좋고 플라워 원 꽃 한 송이처럼 싼 F1 모터스입니다!"

그는 목청이 터져라 외쳤다.

그런 그의 간절함이 닿은 것일까.

사내의 사무실 앞에 차가 선다.

'그렇지!'

그는 부러워하며 침을 뱉는 다른 동업자들의 모습에 희희낙락거리며 재빨리 운전석으로 향했다.

"안녕하십니까, 형님! 최고가 매입, 최저가 판매. F1 모터스의 허익입니다, 형님!"

허리를 깊게 숙이는 그의 머리 위에서 차창이 힘들게 내려진다.

"아오, 씨발. 2006년도에 뭔 수동식이야? 수호야, 이 새끼냐?"

"……응. 그 사람 맞아."

"그래? 혹시나 해서 묻는 건데 이 차 아버님이 처음 사 준 차라고 미련이 있거나 그런 거 아니지?"

"당연하지. 그런데 그건 왜?"

"오케이. 안전벨트도 멨네."

"……응?"

"아니야. 꽉 잡고 있어. 야, 돼지. 비켜 봐. 다친다."

"예?"

순간 이해를 못해 되물은 사내는 이어지는 소리에 답을 얻을 수 있었다.

부아아앙! 부아아앙! 끼긱, 끼긱!

맹렬하게 울리는 머플러 배기음과 브레이크가 맛이 간 건지 살짝살짝 앞으로 튕겨지듯 전진하는 차.

93년식 청록색 소나타2.

그 차가 향하려는 목적지엔 눈에 뒤덮인 F1 모터스의 중고차들이 있었다.

'이, 이 새끼들 설마?'

"야. 난 경고했다."

오싹!

"씨발!"

종혁은 다급히 몸을 날리는 그의 날렵함에 혀를 내두르며 사이드를 내렸다.

그 순간 차는 로켓처럼 쏘아지며 주차된 차들을 들이박았고, 막아서기보다 뒤로 물러나기를 택한 사내는 입을 떡 벌렸다.

꽈아아앙!

중고차 매매 단지에 폭설 내리는 겨울날보다 더한 침묵이 내려앉았다.

* * *

푸쉬이!

소나타2의 보닛에서 위에서 내리는 눈과 똑같은 색의 연기 피어오른다.

쾅! 쾅!

"아오, 씨발. 이거 왜 안 열려? 수호야, 그쪽 열리냐?"

"모, 몰라! 미, 미친. 진짜 미친ㅡ!"

"이, 이 미친 새끼가!"

사내는 다급히 달려가 창문을 두드렸다.

"내려! 내려, 이 또라이 새끼야!"

대체 뭐라고 말을 해야 할까.

너무도 어이없고 경악스런 상황에 머릿속이 하얗게 된다.

"또, 또라이 새끼. 또라이 새끼! 이 차들이 얼마짜린 줄 알고ㅡ!"

결국 당장 팔아야 할 자동차값부터가 머릿속을 채운다.

"얼만데?"

"내려, 이 미친 새끼…… 뭐?"

"얼마냐고. 아오, 씨! 진짜 안 열리네! 아니다, 이거면 됐지?"

파라락!

파란색 수표가 하늘을 난다.

엉겁결에 낚아챈 사내는 눈을 부릅떴다.

0이 8개.

'이, 일억?'

눈을 비비고 다시 봤지만 1억이다.

사내는 당황한 눈으로 종혁과 수표를 번갈아 봤다.

"아오, 진짜아!"

쫘아앙!

운전석 문이 터져 나갈 듯 젖혀진다.

"컥!"

차문에 맞아 바닥을 구르는 사내.

그를 무시하며 내린 종혁은 자신이 만든 작품을 둘러보며 못마땅한 듯 혀를 찼다.

"차가 그지 같으니까 몇 대 밀지도 못했네."

종혁은 짜증을 토하며 운전석에서 금속 배트를 꺼내 들었다.

"계산했으니까 이제부터 이것들은 내 거다. 부족하면 말하고."

"……예?"

"오케이, 대답도 들었고. 야, 수호야. 내려 봐!"

"끄으응!"

힘겹게 보조석 문을 열고 내린 수호를 본 사내는 눈을 부릅떴다.

"너, 너?!"

왜 어디서 봤나 했더니 아침의 그 아빠와 아들 중 아들이다.

종혁은 사내의 삿대질에 몸을 움츠렸다가 이를 악물며 억지로 가슴을 펴는 수호의 모습에 흐뭇하게 웃으며 입을 열었다.

"박수호, 잘 봐. 형이 이런 병신 돼지 새끼들을 어떻게 다뤄야 하는지 이제부터 보여 줄 테니까. 앞으론 이거 보고 따라 해?"

"……내가? 이걸? 정말 미쳤냐!"

아무리 복수를 바랐지만 이건 아니다.

솔직히 속이 정말, 엄청엄청 후련하지만 이건 아니다.

종혁은 그런 수호를 무시하며 사내를 향해 손짓했다.

"야, 돼지. 뒤로 물러나라. 파편 튄다."

"어? 어…… 자, 잠깐! 또 뭘 하려고!"

"이것들 이제 내 거잖아? 그럼 내가 어떻게 하든 내 맘 아니야?"

그건 맞다.

"마, 맞는데……."

"난 분명히 파편 튄다고 경고했다."

퉤 손바닥에 침을 뱉은 종혁은 들이받은 차 중 가까이 있는 차 앞으로 다가가 야구방망이를 높이 쳐들었다.

'저, 저 미친놈이 설마…….'

아닐 거다.

그렇게까지 미친놈은 아닐 거다.

하지만 종혁의 몸짓에 서린 감정은 오직 진심만 가득했다.

"야, 야. 그, 그거 아, 아니야. 하, 하지……."

"지랄!"

꽈아앙!

"하지 마아! 아악!"

사내뿐만 아니라 다른 사람들도 기겁하며 몰려들었다.

"저, 저 미친 새끼!"

중고차 매매 단지에 미친놈이 출몰했다.

그것도 순도 100퍼센트의 미친놈이.

이득을 위해서라면 밥 먹는 것보다 쉽게 협잡을 반복하는 그들조차도 감히 가까이 갈 수 없는 미친놈.

꽈앙! 꽈직! 꽈앙!

"어, 어떻게 좀 해 봐!"

"뭘 어떡해! 야! 뭐해, 인마! 너희 사장 불러-!"

"아니, 경찰 불러! 경찰! 경찰에 신고해!"

움찔!

"경찰?"

종혁의 방망이질이 멈추자 사람들은 눈을 빛냈다.

순간 상황을 파악한 사내도 가슴을 펴며 얼굴을 구겼다.

"씨발. 야, 너 어디서 온 미친놈이냐."

돈을 받았으니 차를 어떻게 하건 문제는 없다.

하지만 그걸 눈앞에서 부순다는 건 다른 문제였다.

"대체 어디서 생활하던 새끼길래 이 지랄을 부려! 너 내가 누군지 알아?!"

종혁은 피식 웃었다.

"누군데."

"……뭐?"

"뭐 하는 새끼냐고, 씹새끼야."

종혁은 방망이를 내려놓으며 사내 앞에 성큼 다가섰다.

움찔!

사내는 가까이서 보자 더 크고 위협적인 종혁의 몸과 눈빛에 침을 삼켰다.

"이, 이 새끼……."

종혁은 놀라 굳는 그의 배를 후려쳤다.

"킥!"

"아, 키 170 이하 눈감아. 지금부터는 미성년자 관람불가다."

"……저게 씨!"

다행히 수호의 목소리가 살아 있자 키득 웃은 종혁은 배를 잡고 물러선 놈에게 다시 다가서며 머리채를 잡고 그 배를 다시 후려쳤다.

"킥! 케엑!"

"야, 너 누군지 대답 안 해? 아니다. 차라리 내가 알아보는 게 빠르겠다."

종혁은 그의 점퍼를 잡아 그대로 잡아 뜯어 버렸다.

뿌드득!

"아악!"

"그래. 내가 너 문신 있을 줄 알았다. 자, 여기 보시고. 김치?"

찰칵!

핸드폰을 주머니에 집어넣으며 종혁은 어느새 가까이 다가와 험상궂은 표정들을 짓는 사람들에 입술을 비틀었다.

"야, 이 붕신들아. 아직 내가 누군지 감이 안 오지?"

"이 개새끼가!"

"하. 진짜 미친 새끼네, 이거?"

"어이, 아그야. 너 누구 밑에서 생활했냐?"

종혁은 되지도 않는 협박을 하는 덩어리들의 모습에 큭큭 웃었다.

"애들아, 이 사랑스런 새끼들아. 잘 들어 봐. 생활하다 도망쳤던 구제불능 일진이었던 과거가 참 아름다울 삼류 양아치들로 가득한 여기에 와서 난동을 부리는 나는 어떤 미친놈일까? 첫째, 그냥 오늘 하루가 좆같아서 아무거나 때려 부수고 싶은 깡패 새끼. 둘째, 협박당해서 차를 강매당한 친구 때문에 빡이 돌아 버린 경찰."

종혁은 경찰이란 말에 몸이 딱딱하게 굳는 그들을 보며 고개를 모로 기울였다.

"과연 누굴까?"

공기가 소리와 함께 얼어붙는다.

'겨, 경찰?'

'씨발?'

종혁은 더 이상 말을 섞기가 싫어 경찰 공무원증을 던졌다.

"헉!"

마치 역병 단지라도 되는 듯 다급히 물러나는 그들.

종혁의 눈빛이 차갑게 가라앉았다.

"눈깔이 있어서 쳐 봤으면 이제 좀 꺼져 주지? 왜? 너희 차들도 싹 다 밀어 줘?"

"……씨발. 경찰이 이래도 돼?!"

"마, 맞아요! 저, 저희 이제 건달 아니거든요?!"

종혁은 얼굴을 구기며 지갑을 열었다.

"야. 너희도 받아."

좌라락!

허공에 뿌려지는 수표들.

"이제부터 너희 차도 내 거다."

……꿀꺽.

덩치들의 시선이 바닥에 널브러진 수표에 꽂힌다.

솔직히 욕심이 난다. 웃돈 주고 차를 산다는데 어떤 병신이 안 팔겠는가.

그런데 건드릴 수가 없다.

이건 독이다.

먹는 순간 어떻게 될지 모르는 독.

"아, 아닙니다! 그럼 수고하십시오!"

"여기 수표. 저흰 이만 퇴근해야 돼서…… 헤헤."

종혁은 떠나는 그들을 보며 코웃음을 쳤다.

역시나 겨우 이 정도밖에 안 되는 놈들이다.

남을 함부로 깔보고 다니면서도 더 큰 힘엔 꼬리를 숨

기는 양아치들.

종혁은 그런 그들의 모습에 멍해진 수호에게 다가갔다.

"보이냐?"

"……개 같네."

솔직히 종혁이 좀 무섭긴 하다.

하지만 그보단 더 큰 힘에 도망치는 저 덩치들이 더 어이없다.

'난 왜 이런 놈들한테 당한 거지?'

억울했다. 아까 전과는 다른 의미로 억울해서 미칠 것 같았다.

"씨발. 진짜. 씨발."

"오, 박수호. 군대 다녀왔다고 욕도 하네?"

"씨, 진짜!"

"자. 이거 받아."

종혁은 들고 있던 야구방망이를 넘겼다.

"응? 이, 이건 왜?"

"너도 부숴야지. 힘들게 나만 부수라고? 이 의리 없는 놈아?"

"어……."

"솔직히 엿 같잖아."

"……그런 거야? 그래도 돼?"

"그래도 돼. 저 새끼들 이래도 아무 말 못하니까 마음껏 부숴."

이쪽을 곁눈질하는 덩치들과 망연자실 주저앉은 사내

를 쳐다본 수호는 설움이 담긴 헛웃음을 터트렸다.

"씨발."

돌아선 수호는 방망이를 높이 쳐들었다.

"으아아아아! 이 개새끼들아—!"

콰앙! 콰아앙! 콰직! 콰직!

"옳지. 잘한다. 더! 더!"

종혁은 잘하는 수호의 모습에 고개를 주억였다.

앞으로 수호가 살아갈 날이 얼마나 많은데, 해야 될 일이 얼마나 많은데, 아무것도 아닌 이딴 놈들 때문에 트라우마가 생겨 어깨가 좁아지면 안 된다.

"그렇지! 다 부숴 버려—!"

"으아아아아!"

킬킬 웃은 종혁은 핸드폰을 귓가에 댄 채 멀어지는 덩치들을 보며 망연자실하는 놈에게 다가가 핸드폰을 뺏었다.

─야! 아, 이 새끼는 전화를 해 놓고 뭔 짓…….

"아이고, 사장님. 안녕하세요. 본청의 최종혁 경감이란 놈입니다. 지금 제 친구가 당신 직원의 강매 때문에 원치 않은 차를 사다 못해 좀 다쳤거든요? 아시죠? 협박이랑 폭행은 중범죄라는 거. 그래서 제가 빡돌아서 당신 가게 차 몇 대를 좀 밀었어요."

─……예?

"값은 얼추 지불했고요. 그런데…… 아직도 화가 풀리지 않아. 내가 당신 뒤를 파 볼까? 아님 여기서 묻을래?"

─……크흠. 무슨 말인지 모르겠지만 알겠습니다. 끊겠습니다.

　"그래요, 우리 사장님 말이 통하시는 분이셨네. 그럼 그렇게 알겠습니다."

　놈에게 통화가 끊긴 핸드폰을 던진 종혁은 놈의 앞에 쪼그려 앉으며 담배를 물었다.

　"야, 너 잘리겠다?"

　"……이 개또라이 새끼."

　사내는 이를 악물었다.

　교도소에 다녀온 이후 겨우 구한 일자리다. 이제야 사람답게 살 수 있게 됐는데, 종혁 때문에 잘리게 됐다.

　아무리 종혁이 경찰이라도 험한 말이 나올 수밖에 없었다.

　종혁은 어이없다는 듯 웃었다.

　"깡 좋네. 야, 너 자수할 생각 없지?"

　"좆까! 퉤!"

　종혁은 입술을 비틀었다.

　"그래, 고맙다. 나도 여기서 끝낼 생각 없었거든."

　"……뭐?"

　종혁은 담배에 불을 붙이며 사내의 눈을 응시했다.

　"내가 지금부터 하려는 일을 말해 줄게. 난 내일부터 네가 생활한 조직이 어딘지를 찾을 거야. 네가 숙소 막내 생활을 하다 도망을 쳤든, 그저 동네를 빌빌거리면서 돌아다니던 양아치였든 상관없이 그냥 네 주위에 있던 조직을 족칠 거야.”

방금 찍은 사내의 얼굴과 문신 사진이 과거를 쫓을 증거가 되어 전국에 퍼질 것이다.

“왜? 못할 것 같아?”

섬뜩!

“너, 너…….”

사내의 눈동자뿐만 아니라 온몸이 사시나무처럼 떨린다.

“그리고 내가 족친 이유를 말할 거야. 어떤 씹새끼 때문에 너희가 이런 꼴을 당하는 거라고. 날 원망하지 말라고.”

철렁 사내의 심장이 내려앉고, 온몸에서 피가 빠져나간다. 눈에 가득 찼던 독기도 빠져나가고 그 자리를 공포가 채운다.

“어쩌냐. 잘리면 다른 일 알아보면 되지 뭐 그런 희망을 가졌을 텐데.”

“왜, 왜 이러세요. 저한테 왜 이러시는데요.”

끝내 사내의 가랑이가 젖어 간다.

“너 같은 놈이 싫어서.”

참 싫다. 대체 이놈들은 뭔 자격이 있어서 같은 사람을 협박하고 갈취하는 걸까. 그러면서도 왜 언제나 당당한 걸까.

정말 토악질이 나올 만큼 싫은 놈들이다.

덥썩!

“오, 범죄자가 형사를 잡네? 세상 많이 좋아졌다, 야.”

“자수할게요! 자수하면 되잖아요! 네? 네에?!”

종혁은 미간을 좁혔다.

"아니야. 그러지 마. 너 이런 놈 아니잖아."

"아니요! 자수할게요! 협박! 폭행! 강매 모두 자수하겠습니다!"

"……쯧. 그리고?"

"사, 사과도 하겠습니다! 죄송합니다, 형님! 정말 죄송합니다! 제가 오늘 뭐에 씌었나 봅니다! 정말 죽을죄를 지었습니다!"

사내는 눈 바닥에 머리를 박으며 연신 사과를 했고, 야구방망이를 든 채 멈춘 수호의 표정은 묘해졌다.

종혁은 그의 뒷목을 움켜쥐며 입을 열었다.

"다른 피해자들은?"

"그, 그분들에게도 사과하겠습니다!"

"환불도 할 거지?"

"……."

"그래. 아예 이 나라를 뜨든, 나중에 경찰서에 살려 달라고 찾아와라. 그럼 구해 줄 거야."

"하, 할게요! 어떻게든 다 하겠습니다! 대출을 하든 사채를 쓰던 다아!"

일어서던 종혁은 몸을 멈추며 사내를 봤다.

"지금 한 말 지키는 게 좋을 거야. 안 그럼 뭐…… 나머지 네 상상에 맡길게. 참고로 수표 봤지? 나 돈 많다."

꿀꺽!

"그래. 지켜본다. 가자, 수호야!"

"헉! 헉! 벌써 가게?"

"어. 이분이 폐차도 알아서 해 주신대. 에이, 지지. 방망이는 버리고."

둘은 발걸음도 가볍게 멀어졌고, 사내는 그 모습을 보다 고개를 푹 숙였다.

"씨발."

평소처럼 차 한 대 팔았다가 인생이 나락에 떨어지게 됐다.

한편 찬바람을 헤치며 중고차 매매 단지를 빠져나가던 수호는 담배를 문 채 어슬렁 걷는 종혁을 가만히 응시했다.

'멋져.'

문신이 가득한 이들 앞에서도 기죽지 않고 도리어 압도하던 종혁은 오늘도 멋졌다.

거기다 자신의 자존심까지 지켜 준 종혁.

생각에 잠겼던 수호는 문득 옛날 일을 떠올렸다.

벌써 오래전인 1997년 IMF의 겨울.

후원사에게 받았다며 주유 상품권과 백화점 상품권을 줬던 친구 종혁.

그땐 철이 없어서 몰랐지만 지금은 안다.

그로 인해 그해 겨울 부모님이 다른 사람에게 아쉬운 소리를 하지 않을 수 있었다는 걸.

덕분에 참 따뜻하게 보낼 수 있었다는 걸.

그럼에도 종혁은 단 한 번도 그에 대해 언급조차 하지

않았다.

'나였으면 몇 번이고 생색냈을 텐데. 하지만 만약 종혁이가 그랬다면 많이 쪽팔렸겠지?'

고마우면서도 쪽팔렸을 거다. 어쩌면 창피함을 참지 못해 짜증을 냈을지도 모른다.

대학교와 군대에서 그런 사람을 너무 많이 봤기에 수호자신도 그러지 않으리란 보장이 없었다.

하지만 종혁은 애초에 그럴 상황조차 만들지 않는다.

언제나 큰형처럼 크고 작은 배려로 말없이 챙겨 주는친구.

그래서 그냥 같이 있어도 참 즐겁고 든든했다.

종혁은 그런 친구였다.

"종혁아, 고마…… 뻽?! 야, 짜!"

"시끄러워, 인마. 친구끼리 고맙다는 말은 무슨. 됐어."

그렇게 말하지만 종혁의 입가에 미소가 걸린다.

친구 수호가 자신을 어려워하지 않아서, 친구 수호의마음에 어둠이 남지 않은 것 같아서 흡족해진다.

그런 종혁의 모습에 수호도 웃음을 흘린다.

"흐흐."

'고마워, 종혁아. 언제나. 정말로.'

그렇게 입가에 따뜻한 미소를 그린 수호는 길가로 걸어나왔다.

"……근데 종혁아. 우리 어떻게 가?"

"어? 잠깐, 어?"

몇 대의 차가 굼벵이처럼 나아가는 도로. 택시는커녕 버스조차 지나지 않는다.

"에라이."

"……야, 네가 오늘 그러면 안 되지."

"몰라."

"허허허. 이 배은망덕한 놈 보소? ……아, 그래. 차가 없으면 스키를 타면 되겠다!"

"스키? 스키가 어디 있는데?"

"어디 있긴. 여기 있지! 박수호란 스키가!"

"어? 야? 잠깐! 으악! 안 돼!"

"거기 서!"

둘은 눈이 쌓인 길을 달리다 동시에 휘청 자빠졌다.

"으악!"

둘에겐 약간 특별할 수 있는 하루가 그렇게 지나가고 있었다.

* * *

담배 연기가 가득한 어두운 공간.

녹색 모포가 깔린 둥근 테이블에 화투패들이 널려 있고, 테이블에 둘러앉아 앞에 지폐 뭉치를 쌓아 놓은 사람들은 가려진 승자와 패자에 웃거나 한숨을 내쉰다.

그 순간이었다.

퍼억!

핸드폰이 소파에 내팽겨쳐진다.

"이 씨발!"

사람들은 방금 전 게임에 참가하지 않고 통화를 했던 오십대 장년인을 봤다.

"무슨 일이야, 신 사장. 사무실에 일 생겼어?"

"아니, 이 씨발 개좆같은 짭새 새끼가……."

신 사장은 울분을 토했다.

"뭐야?! 그런 일이 있었어?"

"푸핫! 차를 밀어 버렸다고? 그거 완전 또라이 새끼네!"

"그 이번에 들어왔다는 실장은 뭐하고?"

"몰라. 그 새끼도 얻어터졌대! 아오, 덩치값도 못하는 새끼!"

장년인과 같은, 중고차 매매 단지의 사장들은 킬킬 웃었다.

어디 경찰이 찾아와 조사를 하는 게 한두 번인가. 뽀찌를 찔러 달라고 오는 놈들에서 또라이로 바뀐 것뿐이다.

"돈은? 받았고?"

"이 병신이 또 받았단다, 아오!"

"그럼 됐네."

"뭐야?!"

일상에 가까운 해프닝이지만 장년인은 참을 수가 없었다. 아마도 전화를 받던 목소리가 너무 어려서 그런지도 몰랐다.

"내가 이 나이에! 아오, 개 같은 짭새 새끼들! 아주 만

만한 게 우리지?!"

움찔!

'우리'란 단어에 다른 사장들도 반응을 한다.

정당히 차를 팔았을 뿐인데도 한 달에 몇 번씩 찾아오는 경찰들. 연례행사처럼 1년에 꼭 한두 번씩은 중고차 매매 단지에 대한 혐오 여론을 형성시키는 신문사들.

물론 차를 팔 때 약간의 위협을 했다는 건 인정을 한다.

하지만 그건 어디까지나 판매 전략이다. 중고차를 사러 오는 놈들도 차를 싸게 사려면 그 정도는 감수해야 된다는 게 그들의 생각.

'이런 것도 각오 안 했으면 그냥 새 차를 사, 이 거지들아.'

구매자는 새 차보다 저렴하게 차를 사서 좋고, 판매자인 그들은 차를 비싸게 팔아서 좋다. 서로 윈윈이다.

"아, 씨부럴?"

자신들이 왜 이렇게 한데 모여서 팔았던가.

다 상부상조를 위해서다. 자격도 없는 놈들이 저마다 중구난방 가격을 후려치면 고객들이 힘들기에 다 같이 함께 모여 가격 안정화를 이루기 위해서다.

그런 의인들인데 만날 자신들만 괴롭힘을 당한다.

사장들의 손아귀에서 화투패가 구겨지자 조용히 침묵을 하고 있던 한 사십대 사내가 안경을 치켜세우며 입을 연다.

"이런. 그동안 사장님들 속이 많이 상하셨나 보군요."

"아, 조 대표님!"

자신들에게서 중고차를 매입에 중동이나 아프리카, 인도 등에 판매하는 큰 손 조상호 대표.

자신들이 영세 상인이라면, 조상호 대표는 거의 중견기업의 회장이다.

"어떻게 제가 한번 나서 볼까요?"

사장들의 얼굴이 순간 확 펴진다.

특히 F1 모터스의 사장은 더욱 그렇다.

"그, 그래 주시겠습니까?! 이거 너무 미안한데…….."

"아닙니다. 저와 사장님들이 인연을 맺은 기간이 얼마나 길고 깊은데요. 이 정도는 해 드려야죠."

그러며 번뜩이는 차가운 눈빛에 사장들을 낯빛이 어두워진다.

이득이 없다면 결코 움직이지 않는 조상호 대표.

"……다른 건 안 바라겠습니다. 이 새끼 물만 제대로 먹여 줘요. 그러면 내가 기존의 반값에 드리겠습니다!"

한국에선 폐차에 가깝지만 그래도 족히 10년은 넘게 굴러다닐 중고차들을 조상호 대표에게 싸게 넘기는 그들.

보관비나 관리비, 폐차비 이것저것 다 합쳐도 이득이기에 넘기는 것이다.

"나도 반값에 드리겠습니다! 내가 아주 이 개새끼들 때문에 살 수가 없어!"

"나도!"

견찰들 뒷주머니로 들어가는 돈을 생각하면 차라리 이게 훨씬 이득이다.

조상호 대표는 너도나도 손을 드는 사장들의 모습에 흡족하게 웃었다.

'그래. 이게 진정한 상부상조지.'

"하하. 이거 그런 걸 바란 건 아니었는데, 사장님들의 뜻이 그러시다니 제가 한번 힘을 써 보도록 하겠습니다."

"조 대표님!"

"자, 그럼 어서 자리들 앉으시죠. 이러다 흐름 끊기겠어요."

"어이구. 그러면 안 되죠."

"신 사장도 다시 쉬었으면 얼른 와!"

"잠깐만. 기분이 좋은 박카스 한 병씩 마시고 해야지!"

"박카스 좋지. 박카스 아가씨는 없나?"

"왜? 불러?"

그들은 낄낄낄 웃으며 다시 패를 쥐었다.

조상호는 그런 그들을 보며 다시 미소를 지었다.

'그럼 뭐부터 해 볼까. 아, 그게 좋겠군.'

마침 아주 좋은 방법이 생각난 조상호는 입술을 비틀었다.

그리고 이날의 승자는 당연하게도 조상호가 되었다.

* * *

경찰인가, 깡패인가!

중고차량 판매소를 차로 받아 버린 경찰!

중고차량 판매소의 사장들. 경찰들 때문에 힘들어서 못 살겠다!

자업자득? 우린 피해자다!

아침부터 헤드라인으로 때리는 뉴스에 전국이 들썩인다.

−조, 종혁아. 나, 나 때문에……

"으응. 이거 우리 아니야. 알아보니까 저기 경기도 쪽 중고차 매매 단지에서도 나처럼 경찰이 난리를 쳤나 봐. 에휴, 지금 그것 때문에 본청도 난리가 아니다. 아니, 나처럼 깔끔하게 처리했으면 좀 좋아?"

−저, 정말? 정말 아니야? 정말 너한테 피해 없어?

"너만 미니홈피에 쓰지 않으면?"

신문에 이름은커녕 성조차 밝혀지지 않았기에 할 수 있는 변명.

−……후하아아.

"큭큭. 그러니까 너도 얼른 알바나 나가서. 지금 본청 분위기가 말이 아니라서 이런 개인적인 통화도 제대로 못하니까 내가 나중에 상황 봐서 전화할게. 다음에 통화하자."

−응! 너도 일 잘해!

전화를 끊은 종혁은 피식 웃었다.

그 웃음은 점차 커지더니 이내 온몸이 들썩일 정도가 됐다.

"하아."

'어떤 씹새끼지?'

그날의 일은 그날 중고차 매매 단지를 벗어나며 묻었다.

참 거지 같은 놈들이지만 그래도 해 버린 게 있고, 아직은 좋은 경찰 이미지 형성에 주력해야 하는 시기이기에 당분간은 참으려고 했다.

그런데 이렇게 뒤통수를 후려쳤다.

'이러면 나도 못 참지.'

고작 6평이나 될까 한 작은 공간을 울리는 살벌한 음성.

종혁은 한쪽 벽에 붙여진 유리 거울을 보며 입을 열었다.

"시작하시죠?"

벌컥!

취조실의 문이 열리며 정장을 입은 두 사람이 들어온다.

바늘로 찔러도 피 한 방울 나올 것 같지 않은 깐깐한 인상의 중년인과 이십대 후반의 젊은 여성. 감찰이었다.

그런데 그중 중년 남성의 얼굴이 낯익다.

"어?"

"에효. 어째 작년은 그냥 잘 넘어가나 했다."

2004년, 윤영철 사건 때 감찰을 맡았던 그분이다.

"아하하. 죄송합니다. 그런데 파트너가 바뀌셨네요?"

그 말에 여성이 낯빛을 굳힌다.

"야, 후배님. 나 경찰대 44기야."

"……충성. 48기 최종혁."

중년인은 각이 잡히는 종혁의 모습에 킬킬 웃으며 담배를 권했다.

"담배 피우지? 피워."

"아, 감사합니다."

종혁은 어깨를 늘어트렸다.

딱 봐도 형식적인 감찰이었다.

그래도 정중히 임해야 하기에 담배를 모두 피운 종혁은 자세를 바로 했다.

그러자 본격적인 감찰 조사가 시작됐다.

삑.

캠코더의 불이 꺼지자 중년인은 한숨을 탁 내뱉었다.

"또라이 같은 놈."

열 받았다고 주차된 차들을 밀어 버리다 못해 야구방망이로 박살을 내 버리는 미친놈이 또 있을까.

"아하하. 죄송합니다. 그런데 전 어떻게 됩니까? 역시 대기 발령입니까?"

종혁은 차라리 대기 발령이기를 원했다.

그래야 자유롭게 움직일 수 있으니 말이다.

종혁 본인을 도발하다 못해 경찰 전체에 싸움을 건 놈이다. 견찰 몇 명이 뒷돈을 챙기면서 빌미를 제공하긴 했지만, 이제 경찰은 여론을 의식해서라도 함부로 놈들을 건드릴 수가 없을 것이다.

그놈들뿐만 아니라 전국 중고차 판매, 아니 강매하는 놈들을 말이다.

가만둘 수 없었다.

"흠. 글쎄……."

종혁이 촉망받는 간부만 아니었다면, 무조건 대기 발령 징계를 받을 정도로 큰 사고다. 그래서 감찰에 뼈가 굵은 그조차도 가늠을 할 수가 없었다.

"그건 청장님께서 설명해 주실 거야."

"예?"

대답 대신 몸을 일으킨 중년인은 취조실의 문을 열었고, 이택문 경찰청장이 안으로 들어왔다.

오늘도 뚱한 얼굴의 이택문 경찰청장.

종혁은 몸을 일으켰다.

"충성. 경감 최종혁."

"……다들 나가 있지. 저기 녹화하는 것도 끄고."

"충성."

감찰들이 기기와 서류를 챙겨 나가자 이택문은 종혁의 맞은편에 앉아 담배를 물었다.

"현재 상황이 심각한 건 알 거야. 경찰 인권과 공권력 향상, 올바른 경찰 이미지 형성을 위해 나 대신 애를 쓴 최 경감이라면 더 잘 알겠지."

흠칫!

평소답지 않게 이택문 경찰청장의 말이 길다.

종혁은 갑자기 불길해졌다.

"죄송합니다."

하지만 사과는 사과다.

비록 종혁 본인이 기획했다고 하더라도 그 거대한 프로

젝트에 똥을 뿌린 건 맞으니까.

아마 여기서 경찰이 제스처를 취하지 않으면 과도한 복지다 군부 독재의 부활이다 뭐다 하면서 모든 언론이 달려들어 물어뜯을 터.

그땐 아마 정부도 무시할 수 없을 것이다.

"대기 발령이든, 직무 정지든 겸허히 받아들이겠습니다."

그리고 찾아 죽인다.

고개를 숙인 종혁은 솟구치는 분노를 찍어 눌렀다.

이택문 경찰청장은 순순히 받아들이는 종혁의 모습에 그럴 줄 알았다는 듯 고개를 끄덕였다.

그러곤 드디어 종혁을 찾은 이유를 말하기로 했다.

"위기관리센터로 가. 자리 마련해 뒀으니까."

쿠웅!

고개를 번쩍 든 종혁은 이택문 경찰청장의 얼굴을 봤다가 이를 악물었다.

'이런 개······!'

징계가 예상을 아득히 넘어섰다.

5장. 입과 혀, 그리고 속담

입과 혀, 그리고 속담

취조실에 날카로운 침묵이 맴돈다.

'토사구팽?'

종혁은 정말이냐는 듯 이택문 경찰청장을 응시했고, 이택문은 그 시선에 담배를 물었다.

찰칵! 치이익!

"푸후."

붉은 불에 타들어 가는 담배에서 흘러나온 연기가 공허하게 흩어진다.

잠시 침묵했던 이택문 경찰청장이 피식 웃으며 말을 이었다.

"기껏 차려 놓은 밥상에 독이 뿌려졌더군. 반찬들도 못 살겠다고 아우성이고."

움찔!

의도했던 게 들켰다. 자신이 손을 떼면 경찰 이미지 마케팅팀의 업무에 큰 차질이 생긴다는 걸 보여 주려는 의도가 말이다.

'그런데 왜?'

이택문 경찰청장이 자신의 의도를 알아챈 것은 그다지 문제 되는 일이 아니었다.

애낭초 들키지 않으리라 생각한 적도 없었고, 오히려 알아차리라고 대놓고 행동한 부분도 있었으니까.

그럼에도 종혁이 의문을 품는 이유는 하나였다.

종혁 본인이 없으면 경찰 이미지 마케팅팀이 제대로 굴러가지 않는다는 사실을 알게 되었음에도, 그를 다른 부서로 보내려 하는 의도를 알 수 없었기 때문이다.

그런 종혁의 마음을 알아차린 것인지 이택문 경찰청장은 한 장의 서류를 내밀었다.

[위기관리센터 간편신고관리과 소속 특별수사 1팀 팀장]
[성명: 최종혁]
[계급: 경감]
[비고: 2007년 전반기 진급 대상자]

특별 인사이동 서류다.

'이건?'

정식 팀장에 진급이다.

더욱이 간편 신고 시스템에 숨어 있는 다른 뜻을 생각

하면 영전이다.

겉으론 한직처럼 보이지만, 권한이 굉장히 막강한 수사팀. 고위 간부로 향하는 길에 한 발자국 더 다가갔다고 보면 된다.

이택문 경찰청장은 토사구팽이 아니라 더 힘을 실어 주는 것이었다.

순간 찌릿하며 전신에 소름이 내달린다.

"뭐 근데 이미 그 밥상에서 먹을 수 있는 건 다 먹었으니 다른 밥상을 차려야 하지 않겠어?"

종혁은 이어진 이택문의 말에 눈을 크게 떴다.

이택문 경찰청장에게 경찰 이미지 마케팅팀에 자신이 없으면 팀이 제대로 굴러가지 않음을 보여 주려 했지만, 그것은 아무런 의미도 없는 행동이었던 것이다.

이택문은 더 이상 경찰 이미지 마케팅팀에 무엇도 바라지 않았으니까.

처음 경찰 이미지 마케팅팀을 조직했을 때 구상했던 성과는 전부 달성했으니까.

어쩌면 종혁 본인의 능력 덕분에 초과 달성을 했을지도 모르고, 현재로선 이 이상은 무리라고 판단했을지도 모른다.

뭐가 됐든 처음의 목적은 모두 달성한 거다.

그렇기에 그냥 손을 떼기로 결심을 한 것이다.

'……심지어 배불리 먹고 남은 잔반을 비싸게 팔아넘기기도 하고 말이야.'

아마 부팀장의 자리도 주한빈 팀장 때처럼 정치적으로

활용할 터.

지금 상한가를 치고 있는 경찰 이미지 마케팅팀이니만 큼 부팀장의 자리라고 해도 비싸게 팔릴 게 분명했다.

'아무도 진짜 의중은 알아채지 못할 테지.'

청와대에서도 경찰 이미지 마케팅팀의 성과를 치하하고 있는 상황이다.

그런 팀을 버림패로 쓴다?

과연 누가 그럴 거라고 생각이나 할 수 있을까.

그 누구도 이택문의 의중을 의심하지 못한 채 단순히 징계성 인사이동으로 바라볼 터였다.

'게다가 여론까지 잠재우고 말이야.'

언론에 선동을 당한 국민들까지 달래면서도 취할 건 다 취했다고 봐야 했다.

'하, 이 여우 같은 양반. 이 한 수로 몇 개의 이득을 얻은 거야?'

그런 와중에 종혁 본인도 위해 주고 있다.

이택문의 숨겨진 의중을 모르는 이들은 종혁에게 동정표를 보낼 것이고, 그들이 동정할수록 종혁은 더 움직이기가 편해질 터였다.

정말 웃음밖에 안 나왔다.

종혁의 입가에 미소가 맺히기 시작하자 이택문은 몸을 일으켰다.

"긴말 안 하지. 그놈들 잡아 와."

'거기까지라고?'

종혁의 입술에선 결국 웃음이 흘러나왔고, 이택문의 미간은 좁혀졌다.

'풀어놓을수록 이득을 가져다줄 존재. 현장에서 더 빛을 발할 경찰.'

최기룡 전 경찰청장이 한 말이었다.

그래서 그대로 해 줬고, 종혁은 그에 부합해 줬다.

백 퍼센트, 아니 천 퍼센트.

이 이상은 너무 과했다.

그러니 이제 현장으로 돌려놓을 때다.

그렇게 생각하던 와중에 마침 적당한 명분도 생기지 않았는가.

경찰 이미지 마케팅 업무를 총괄하면서도 참 이리저리 날뛰었던 종혁. 그걸 보면 종혁은 현장 체질이 맞았다.

팀장과 진급은 그동안 고생해 준 것에 대한 선물이었다.

"더 할 말이 있나?"

"다른 팀원들은 어떻게 되는 겁니까?"

"내 임기는 내년 상반기까지야."

씨익 입술 비튼 종혁은 몸을 일으켜 거수경례를 했다.

"충성."

"팀은 알아서 조직해."

쿵!

문이 닫히자 종혁은 담배를 물었다.

"재밌군."

만약 경찰 이미지 마케팅팀을 그대로 남겨 두기로 하면서

인사이동을 감행했다면 종혁은 완전히 실망했을 것이다.

아니, 한마디 말조차 없이 특별 인사이동 서류만 달랑 던져 줬어도 그랬을 것이다.

그런데 이택문은 그러지 않았다.

말 한마디로 천 냥 빚을 갚는다는 게 이런 것일까.

솔직히 서운함이 모두 가신 건 아니지만, 그래도 그를 향한 미움이 모두 가셔버림에 종혁은 고개를 저었다.

"정말 여우 같은 양반이야."

종혁은 핸드폰을 들었다.

"예, 청장님. 잘 계셨죠? 지금 뭐하세요?"

─청장은 무슨. 전 청장이지.

취조실을 빠져나가는 종혁의 입가엔 미소가 걸려 있었다.

* * *

치이익!

삼겹살이 노릇하게 익어 가는 고깃집.

경찰 이미지 마케팅팀의 팀원들과 경찰 홍보단이 우중 충한 얼굴로 앉아 있다.

오늘은 종혁의 송별식이 있는 날.

청천벽력 같은 징계성 인사이동에 그들의 마음은 복잡 하기만 했다.

"예, 예. 알겠습니다."

종혁은 전화를 끊는 박동수를 봤다.

"팀장님께선 뭐래?"

마무리할 게 있어서 먼저 가라던 주한빈 팀장.

박동수는 이를 악물었다.

"중요한 약속이 잡혀서 미안하다고 하십니다."

"뭐?"

"아, 진짜!"

이 자리에 참석한 이들의 엉덩이가 들썩였다. 이건 떠날 사람이니 더 이상 신경 쓰지 않겠다는 뜻임이 분명했기 때문이다.

안 그래도 정이 안 가던 그가 이런 결정까지 내리자 팀원들은 그동안 쌓인 울화를 터트리기 시작했다.

"그래? 잘됐네."

아니, 애초부터 이럴 거라고 예상했다.

"부팀장님!"

"안 그래도 그 양반 허접한 씀씀이에 어울려 주는 것도 귀찮았는데 잘됐어. 다들 일어나."

"……픕! 알겠습니다."

젓가락조차 대지 않고 일어난 그들은 종혁이 예약해 놓은 고급 일식집으로 향했다.

"하…… 녹는다, 녹아."

"그래, 이게 참치지. 참치야, 오랜만이다!"

폭풍이 휘몰아치는 테이블에 흐뭇이 웃으며 맥주를 홀짝이던 종혁은 다들 술이 어느 정도 들어간 것 같자 입을 열었다.

"너희도 대충 눈치챘을 테지만, 이제 내가 떠나게 되면서 많은 부분이 삐걱거리기 시작할 거야."

젓가락질을 멈춘 그들의 낯빛이 흐려진다.

그들도 대충 예상은 하고 있었다.

종혁이 본청 근처에 얻어 놓은 오피스텔의 서재에서 발견한 한 장의 투자 서류.

그동안 방송국과 제작사들이 순순히 협조했던 건 바로 종혁의 개인적인 투자 덕분이었다.

"이미 제작에 들어간 건 컨트롤이 될 테지만, 이후론 좀 힘들겠지. 내일부턴 그 부분을 고심해야 될 거야."

순간 그들의 눈앞이 아찔해진다.

경찰 이미지 마케팅팀에서 컨트롤을 하고 있는 제작사가 몇 개던가. 방송국은 또 어떤가.

"경찰 홍보단도 마찬가지야. 나야 이미지 소모 방지를 위해 조절은 했지만……."

경찰 홍보단의 얼굴이 구겨진다.

종혁이 자리를 비운 그 짧은 시간에 찍은 포스터와 미니홈피 업로드용 사진이 몇 장이던가.

어제는 인천의 어느 여고에 경찰 홍보를 위한 출장까지 갔다. 알아보니 인천청장 사모님의 모교였다.

심지어 경찰 홍보단 2기는 여경을 대상으로 뽑는다는 말이 나오고 있었다.

종혁은 광대가 되지 말라고 했는데, 주한빈은 광대로 만들고 있었다.

"……진짜 안 가시면 안 됩니까?"

"미안하다."

종혁은 씁쓸히 웃었다.

"나도 그러고 싶지만, 내가 사고를 꽤 크게 쳤잖냐."

"아니, 그러게 왜 성질을 못 이겨서……."

"야, 야!"

"흡! 죄, 죄송합니다."

"아니야. 성질을 못 이긴 건 맞으니까. 그래서 너희에게 정말 미안하다. 이렇게 무책임하게 떠나는 날 용서하지 마."

"……청장님은 아무 말씀이 없으신 겁니까?"

그들도 안다.

자신들을 소집한 게 이택문 경찰청장인 것을, 그리고 수장으로 종혁을 데려왔다는 것을 말이다.

"없기는. 내가 그래도 본청에 붙어 있는 거 보면 모르겠어? 청장님도 많이 노력하셨으니까 미워하진 마."

거기다 종혁은 아직 순환 보직 중이다. 저기 시골의 파출소에 처박아도 그대로 따라야 했다.

"이 정도면 정말 노력하신 거야."

"아니, 하아……."

그들은 이 상황을 받아들여야 하는 게 짜증이 나고 싫었지만, 어떻게 할 방법이 없다는 것도 알아차렸다.

자신들은 공무원이다.

가라면 가고, 오라면 오는.

상부의 결정에 절대 반항 따윈 할 수 없는 공무원.

"……그래도 즐거웠습니다, 부팀장님."

"예! 정말 다이나믹했습니다!"

그들 경찰 인생에 이만큼 즐겁고 다이나믹했던 순간이 또 찾아올까. 그들은 아쉬움에 한숨을 푹푹 내쉬었다.

"가끔 놀러 가도 되죠?"

"너무 자주 찾아오진 말고."

히죽 웃는 종혁의 미소에 그들도 애써 미소를 지었다.

종혁은 그런 그들을 향해 잔을 들었다.

"자, 우울한 이야기는 여기까지 하고 달리자! 잔들 들어!"

황급히 잔을 채우는 그들을 향해 종혁은 크게 외쳤다.

"경찰 이미지 마케팅팀의 무궁한 발전을!"

"위하여!"

채재쟁!

그들의 회식이 본격적으로 시작되었다.

"조심히 들어가십쇼!"

"그래, 너희도 푹 쉬고. 오다가다 마주치면 인사하자!"

"……총원 차렷! 부팀장님을 향하여 경례!"

"충성-!"

"……충성."

씩 웃은 그들은 그제야 아쉬움을 삼키며 돌아섰다.

"오 경감님도 잘 가십쇼!"

"재수야! 잘 가라!"

종혁은 떠나는 그들을 바라보다 담배를 물었다.

"부 팀장…… 아니, 팀장님."

"왜?"

"진실을 밝히는 게 낫지 않았을까요?"

종혁은 최재수를 봤다.

종혁이 저들을 위해 얼마나 노력했는지, 또 욕심냈는지 알고 있는 최재수는 종혁이 아무런 말도 안 한 채 이렇게 떠나보내는 게 너무 안타깝고 이해할 수가 없었다.

"그럼 저 형님들도 견딜 수 있는 힘을 얻었을 텐데……."

"그러면 팀의 업무에 집중할 수 있을까?"

"……."

"안타까워도 이게 맞는 거야."

"하지만……."

"거기까지. 됐으니까 가서 숙취음료나 사 와."

"……예."

최재수가 한숨을 내쉬며 편의점으로 향하자 오택수가 킬킬 웃었다.

"말은 잘하지. 업무에 집중?"

"……푸흐흐. 박수 칠 때 떠나야 더 각인이 되는 거죠."

아마 주한빈이 종혁의 흔적을 지우면 지울수록 팀원들은 더 괴로워하고 옛날을 찾게 될 거다.

'아, 그때가 좋았는데'라며 갈망을 할 것이다.

"에라이."

오택수는 그럴 줄 알았다는 듯 고개를 저었고, 종혁은 새 담배를 물며 낯빛을 굳혔다.

"그리고 누가 넘어갔을지 모르잖아요."

부서 장악을 위해 애쓰는 주한빈이 자기 편 하나 만들지 못했을까. 그런 식으로 부서 장악을 하려면 가장 먼저 해야 되는 게 자기 편 만들기다.

진실을 모두 밝혔다간 이택문 경찰청장까지 크게 다칠 테고, 종혁은 아마 좋게 끝나도 시골 파출소 소장으로 전근을 가게 될 것이다.

그런 위험을 감수할 순 없었다.

"그래, 너 잘났다."

"푸흐흐."

웃음을 흘린 종혁은 기지개를 켰다.

"으드드드드!"

이제 모든 게 끝났음에 종혁은 잠시 매섭게 추운 바람이 몰아치는 겨울의 밤하늘을 멍하니 쳐다봤다.

'남은 건 하나인가?'

뒤통수를 후려친 놈.

차팔이를 충동질하고 큰 엿을 먹인 배후.

'이 개새끼를 어떻게 찾아야 할까.'

종혁의 표정이 살기등등해지기 시작했다.

그때였다.

띠리링! 띠리링!

"음?"

발신자제한표시에 의아해하며 전화를 받은 종혁은 이내 눈을 껌뻑였다.

"램지?"

-린치다!

CIA 아르헨티나 부에노스아이레스 지부의 린치 요원. 그의 전화였다.

*　*　*

"아쉽게 됐군."

"죄송합니다."

인천의 한 일식집, 주한빈이 인천청장을 향해 고개를 숙인다.

"제가 늦었습니다."

"……됐어. 죽은 자식 불알 만져서 뭐하게."

말은 그렇게 했지만 솔직히 아쉽다.

하지만 이번 사태로 인해 종혁이 제어할 수 없는 뿔난 망아지임을 알게 됐기에 그는 미련을 버리기로 했다.

또 얻은 것도 있지 않은가.

'오택수 경감, 최재수 경장.'

종혁과 한 팀인 이 둘도 함께 움직일 것이기에 결국 경찰 이미지 마케팅팀에는 총 세 개의 TO가 생긴다. 그중 하나를 그가 가져오기로 했다.

그로 인해 박종명 부산청장에게 간편신고관리과 소속 특별수사팀의 팀장직 하나를 양보해야 됐지만 나쁜 거래는 아니었다.

후에 부산청장직을 약속받았으니 말이다.

'이놈이 최종혁을 놓치면서 내 차기 경찰청장직도 멀어 졌지.'

그렇다면 부산청을 노리는 게 맞다.

인천청장에 부산청장까지 거치면 경찰청장직에 도전하 기도 수월할 터.

또 이택문에게 얻은 것도 있지 않은가.

현재로서는 이 결정이 베스트였다.

"그보다 잘할 수 있겠지? 거기서 흘러나온 말이 내 귀 에까지 들려."

"최 경감이 남긴 흔적을 지우려다 보니 작은 소란이 있 었을 뿐입니다. 결과로 증명하겠습니다."

"……믿지."

인천청장은 술병을 들었고, 주한빈은 양손으로 공손히 받았다.

그렇게 최선의 선택을 했다고 생각한 사람과 그의 사냥 개의 술자리가 시작됐다.

한편 시간이 늦었음에도 아직 불이 꺼지지 않은 부산청 장실.

막 퇴근을 준비하던 박종명이 피식 웃었다.

"멍청한 욕심쟁이 덕분에 큰 걸 얻었군."

박종명이 파악한 경찰 이미지 마케팅팀은 홍보 쪽과 영 역이 겹치기에 오래 존속되기 힘든 부서다.

정확히 말하자면 앞으로 이택문의 뒤를 이어 경찰청장이 될 고위 간부들의 능력을 시험하는 칼이다.

잘 휘두르면 전가의 보도가 될 테지만, 자격이 없는 놈이 쥐게 되면 제 심장을 찌를 녹슨 칼.

지금 화려하게 보이는 것은 모두 종혁 덕분이다.

"그런 걸 보면 이택문도 여우란 말이지."

최기룡에게 인계받은 최종혁이라는 보석 손잡이를 달아 놓고 제가 얻을 이익을 모두 얻은 후에 빈껍데기로 정치질을 했다.

아무리 칼이 좋다고 한들 손잡이가 없으면 제대로 휘두를 수나 있을까. 이택문은 화려한 손잡이에 이목을 집중시켜 빈약한 칼날을 숨겨 버렸다.

즉, 종혁이 없으면 경찰 이미지 마케팅팀은 속 빈 강정일 뿐이다. 알아본 바에 의하면 실제로도 그랬다.

경찰 이미지 마케팅팀의 모든 업무는 종혁의 머리에서 나왔고, 종혁이 핸들링했다.

이게 박종명이 내린 결론이었다.

"뭐 순직 규정 범위의 확대 같은 건 이택문의 머리에서 나왔겠지만……."

그래도 감히 비할 바 없는 인재다.

그런데 인천청장은 이런 종혁과 척을 졌다.

바보 같은 짓을 했다.

"무능한 간부 수십 명보다 최 경감 하나가 낫지."

여기에 그 욕심 많은 홍보담당관도 경찰 이미지 마케팅

팀의 업무를 슬금슬금 가져오려 들 터.

다른 건 다 제쳐 두더라도 방송국 컨트롤은 홍보담당관으로서 무조건 차지해야 되는 보물이다.

아마 이택문은 그걸 묵인하거나 뒤로 힘을 실어 줄 것이다. 그게 정치니까.

정말 영악한 인간이 아닐 수 없었다.

그런 의미에서 간편신고관리과 소속 특별수사팀 팀장 TO를 하나 가져온 건 박종명이 할 수 있는 최선의 수였다.

"가장 최선은 최 경감을 내가 품는 건데……."

이택문이 종혁을 팀장에 제수하면서 좀 어렵게 됐다.

고작 스물여섯 살에 팀장. 여기에 내년이면 경정이다. 이제 종혁은 어딜 가든 팀장부터 시작할 수밖에 없다.

본격적인 승진 가도의 레인에 올라선 거고, 영특한 종혁이라면 이택문이 자신의 앞길을 닦아 줬다는 걸 알고 있을 것이다.

지금 옆에서 옆구리를 찔러 봤자 씨알도 먹히지 않을 상황이다.

"뭐, 그건 앞으로 차차 해 나가면 될 일이겠지."

현재로선 좋은 인상을 심어 주는 것만으로도 족했다.

"이럴 줄 알았으면 그때 그런 결정을 하지 않을 걸 그랬어."

최기룡을 깎아내리기 위해 종혁을 쳤던 일인 음주운전 도주 차량 과잉진압에 대한 기사.

박종명은 혀를 차며 재킷을 집어 들었다.

지이잉! 지이잉!

"어, 조 대표. 무슨 일인가? 지금?"

주인이 떠나며 불이 꺼진 부산청장실에 짙은 어둠이 내려앉았다.

* * *

스르륵!

"수고하셨습니다."

택시에서 내린 종혁은 이태원에 위치한 제법 큰 3층 건물을 응시했다.

"부에노스아이레스에 있어야 할 인간이 한국에 왔다라……."

뜬금없이 연락을 해 무작정 약속을 잡은 린치.

헤어질 때 꽤 놀랐기에 살짝 불안한 생각도 든다.

'그놈 성격을 생각하면 그럴 수도 있어.'

종혁은 담배를 피우려는 척 주위를 둘러봤다.

'흠. 없는 것 같은데…….'

"아."

종혁은 나탈리아에게 전화를 걸었다.

─레일에 올라탄 걸 축하해요, 최.

"……본청에 백도어를 심어 뒀습니까?"

경무인사기획관과 인사담당관, 그리고 각 청의 청장들 밖에 모르는 특별 인사이동이다.

알아본 바에 의하면 그것도 감찰을 받은 어제 결정이

났다.

－후후후.

"어휴."

못 말리겠다는 듯 고개를 저은 종혁은 용건을 꺼내기로 했다.

"지금 CIA의 린치를 만나러 왔습니다."

－어느 린치…… 아, 아르헨티나의 그 린치를 말하는 거군요.

'CIA가 린치란 이름을 흔히 쓰나 보네.'

－후훗. 귀여운 사람. 나 오해하지 말라고 연락 준 건가요?

"자꾸 유혹하지 말고요."

나탈리아는 웃음을 터트렸다.

피식 웃은 종혁은 다시 입을 열었다.

"그래서 이 인간이 왜 온…… 아."

말을 하다 보니 알겠다. 린치가 한국에 왔음에도 나탈리아가 왜 이 사실을 알려 주지 않았는지.

－즐거운 시간을 보내도록 해요. 물론 너무 즐거우면 질투할 것 같지만요.

"이런. 그럼 최대한 열심히 즐겨야겠네요."

－……흐응. 정말요?

"봐서요. 끊을게요."

전화를 끊은 종혁은 키득키득 웃었다.

"정말 귀엽다니까."

고개를 저은 그는 건물 2층의 BAR로 올라갔다.

딸랑!

문을 열자마자 그를 반기는 모던한 분위기의 인테리어.

바텐더의 앞에 앉은 린치가 버번위스키 중 하나인 메이커스 마크를 홀짝이며 시거를 즐기고 있다.

"취향이 저렴한데?"

다른 위스키와 달리 옥수수로 만드는 버번위스키.

그걸 꼬집자 린치의 눈매가 날카로워진다.

"이봐, 잘 들어. 버번위스키야말로 가장 미국다운 술이야. 알아들었어?"

"글쎄……."

어깨를 으쓱인 종혁은 바텐더를 봤다.

"난 앱솔루트랑 맥주 주세요. 응? Why?"

린치는 코웃음을 쳤다.

"그 맛없는 걸 잘도 먹는군."

그런데 짜증이 나는 건 하필이면 종혁이 시킨 게 보드카라는 것이다.

보드카의 나라, 러시아. 그런 보드카에 맥주를 곁들이는 것도 러시아 스타일.

우연이라고 치부할 수가 없다.

"술은 딱히 가리질 않아서. 당신도 놀라운데?"

외모나 성격을 보면 고상하게 와인이나 즐길 법한데, 제법 와일드하면서 초딩틱하다.

버번위스키는 단맛으로 유명하기 때문이다.

"흥. 나만큼 남자다운 사람이 어디 있다고."

"……어, 그래. 그래서 한국 지부장으로 온 건가? 아니면 날 전담할 팀장?"

"빌어먹을 나탈리아."

오해였지만 종혁은 정정해 주지 않았다.

가만히 생각하면 너무 간단한 문제였다. 요새 머리 쓸 일이 많아서 단숨에 떠올리지 못한 것뿐.

"그래서 줄 게 뭔데? 그냥 앞으로 잘해 보자고 인사하러 온 건 아닐 거 아니야."

"Fuck!"

린치는 바 테이블에 올려 뒀던 노란 대봉투를 던지다시피 내려놓았다.

키득키득 웃으며 안의 내용물을 꺼내 살핀 종혁은 입을 다물었다.

"역시 CIA라고 해야 하나?"

이번 사건의 배후가 적혀져 있다.

대상 렌트카의 조상호 대표.

그 전국 각지 중고차 매매 단지의 사장들과 긴밀한 관계를 맺고 있다.

'아프리카나 중동에 중고차를 판매하는 회사의 대표라…….'

그 중고차 판매의 규모가 상상 이상이다.

'하긴 이 정도의 자금력이 있으니 언론을 움직인 거겠지.'

"재밌네."

순간 종혁의 입매가 기괴하게 뒤틀린다.

'나한테 돈으로 싸움을 걸어왔다라…….'

아주 재밌다.

린치는 흉흉하게 웃기 시작하는 종혁을 보곤 혀를 찼다.

종혁을 전담하게 되면서 자세히 살핀 종혁의 자료.

하나같이 터무니없었지만, 제일 황당했던 건 그가 사건을 해결하는 방식이었다.

한국 경찰이라고는 생각되지 않는 미친놈의 그것.

그중에서도 제일 미친 건 불법 체류자의 여고생 살인사건이었다.

당시에는 불법 체류자가 용의자인지 확실하지 않았음에도 불구하고, 종혁은 취업을 목적으로 한국에 입국하는 모든 외국인들이 찾아올 수밖에 없는 직업알선회사를 차렸다.

그야말로 천문학적인 금액을 투자해서 말이다.

평범한 사람의 발상으로는 결코 저지를 수 없는 터무니없는 행동이었다.

"이제 어떻게 할 생각이지?"

"그걸 말해 줄 의리는 아직 없고."

"쯧. 비싸군."

싱긋 웃은 종혁은 보드카와 맥주를 털어 넣으며 일어섰다.

"다음엔 진짜 선물을 기대할게. 헨리 씨가 주라던 진짜 선물."

이젠 린치의 상관이자 CIA 동아시아 관리팀의 팀장 헨리 스미스.

그러면 러시아가 종혁에게 뭘 줬는지 알고 있을 텐데, 조금만 조사하면 알 수 있는 이런 정보를 인사 선물이라고 보내진 않았을 것이다.

종혁이 싫은 린치가 숨긴 게 분명했다.

"Fuck!"

"그럼 자주 보자고, 린치 요원."

조사 자료를 챙긴 종혁은 중지를 치켜드는 린치를 무시하며 밖으로 나왔다.

휘이잉!

차가운 공기가 잠깐 안에 있었다고 뜨거워진 몸을 식힌다.

"어떻게 할 거냐라……."

종혁은 린치가 넘겨준 조사 자료를 봤다.

'그러게. 이놈을 어떻게 엿 먹여야 할까.'

자료에 의하면 조상호의 회사는 꽤 건실한 기업이다. 쉽게 건드리긴 힘들다고 봐야 했다.

"여러 정황들이 있긴 한데…… 아, 그 방법이 있었군."

시간은 좀 걸리겠지만 하나 방법이 있었다.

일거양득이기까지 한 방법.

'그를 위해선 일단 명분부터 쌓아야겠지.'

마침 곧 명분을 쌓기에 좋은 게 세상에 선보여진다.

씩 웃은 종혁은 도로가로 걸어가 손을 흔들었다.

"택시!"

* * *

밤사이 내린 눈으로 인해 온 세상이 하얗게 물든 이른 아침.

서울의 한 주택에서 이십대 후반의 남성 김민철이 걸어 나온다.

"다녀오겠습니다."

"눈 쌓였으니까 운전 조심히 하고!"

움찔!

"네."

점퍼 위에 정장을 입으며 밖으로 나오는 그를 눈 덮인 검은색 중형차가 반긴다.

직장인이 된 기념으로 불과 며칠 전에 산 중고차, 뉴그랜저.

한참 예뻐하고 아껴야 할 시기건만, 김민철의 표정엔 울화와 짜증만 서려 있다.

주머니 속 자동차 키를 만지작거리며 갈등하던 그는 이내 혀를 차며 자동차를 지나쳐 지하철역으로 향했다.

덜컹덜컹!

"윽!"

"좀 비켜 봐요!"

출근 시간치곤 좀 늦은 시간이라 사람들로 가득한 지옥철.

숨이 턱턱 막히고 몸이 찌그러질 것 같자 김민철의 마음에 '그냥 차를 탈 걸 그랬나' 작은 후회가 든다.

차를 산 이후 매일 출퇴근길마다 드는 후회.

"아이고. 요새 경찰이 노력 많이 하네."

"뭘 그래요. 얼마 전 뉴스 못 봤어요?"

'응?'

[경찰, '이제부터 인터넷 간편 신고 사이트를 이용해 달라'.]

별거 아닌 신문 내용.

대체 어디서부터 탄 건지 의자에 앉아 신문을 보는 부러운 사람을 외면한 그는 아예 눈을 감으며 지옥철 출근 길에 몸을 맡겼다.

그러다 보니 회사에 도착하는 것도 금방이었다.

-차 왜 안 가져갔어?

"눈 많이 쌓였잖아. 내 운전 실력이면 백퍼 사고 나."

-그래도…….

"회사 앞이야. 끊을게."

전화를 끊은 그는 사무실로 올라가 깊게 허리를 숙였다.

"안녕하십니까! 좋은 아침입니다!"

그렇게 인턴 김민철의 하루가 시작되었다.

"후우."

터벅터벅.

어둔 밤, 쌓인 눈이 발밑을 위태롭게 하지만 오늘도 고생한 김민철은 그걸 느낄 틈도 없다.

그저 얼른 집에 가서 눕고 싶은 마음뿐.

인턴으로 입사할 때만 해도 고생 끝 행복 시작이라 생각했는데, 이젠 얼른 회사를 그만두고 싶은 마음만 간절하다.

하지만 합격 통지에 누구보다 기뻐하던 부모님의 얼굴을 떠올리니 차마 그럴 수가 없었다.

멈칫!

"하아……."

집 앞, 아버지 차 뒤로 주차된 차를 보니 더 답답해지는 가슴.

뿌연 입김만이 그의 답답한 가슴을 드러내 준다.

고개를 저은 그는 집 안으로 들어가며 활짝 웃었다.

"다녀왔습니다!"

"왔니? 밥은? 회사에서 별일은 없었고?"

매일 보는 아들이 뭐 그리 좋은지 뽀로로 달려와 이곳저곳을 살피는 어머니.

귀찮아 짜증이 드는 한편 좋아서 웃음도 나온다.

"먹었어요. 별일도 없었고요. 엄마랑 아빠는요?"

"나야 먹었지."

"나도. 얼른 씻고 과일 먹어라."

"옙!"

허물을 벗듯 옷을 벗으며 화장실로 들어가 씻고 나온 그는 어머니 옆에 앉으며 멍하니 TV를 봤다.

"푸흐."

"왜 웃어?"

"그냥요. 아까 회사에서 웃겼던 일이 생각나서요."

언제나 똑같은 풍경. 그래서 웃음이 나왔는지 몰랐다.

"왜? 뭔데? 무슨 일인데?"

"뭘 그런 걸 묻고 그래. 애 힘들게."

"아니, 엄마가 돼서 물어볼 수도 있죠."

"그거 다 참견이야. 애 좀 그만 괴롭혀."

"뭐예요? 어머 이 사람 말하는 것 좀 봐?"

갑자기 싸우기 시작한 부모님이지만, 이마저도 일상이라 김민철은 태연하게 포도를 입안에 집어넣었다.

─경찰이 이번에 인터넷 간편 신고 시스템을 개발했다고 하여 화제입니다. 서대기 기자?

─예, 서대기입니다. 경찰은 기존의 복잡했던 인터넷 신고 절차를 간소화하여 누구나 빠르고 간편하게 신고를 할 수 있는 시스템을 개발하였는데요. 모든 신고자의 익명성을 지키면서…….

'간편 신고 시스템?'

멍하니 뉴스를 보던 김민철의 눈이 번뜩였다.

거쳐야 할 여러 절차들을 떠올리면 도무지 엄두가 나지 않았던 신고.

그런데 빠르고 간편하게 신고를 할 수 있다니, 그의 귀가 솔깃해졌다.

"잘 먹었습니다. 전 좀 쉴게요."

몸을 일으킨 그는 잰걸음을 옮겼고, 그에 언성을 높이던 그의 부모는 입을 다물었다.

"쟤 오늘도 차 안 끌고 갔지?"

"네. 차를 사 뒀다가 국을 끓여 먹으려는 건지, 아님 저 차를 사면서 무슨 일이 있었던 건지……."

부모라면 느낄 수밖에 없는 아들의 반응.

대충 사정을 파악한 아버지는 걱정하는 부인을 향해 손

을 저었다.

"놔둬. 모른 척해. 쟤도 이제 사회인이야."

'몇 십만 원 정도 덤터기 썼나 보군.'

그도 차를 타는데 어찌 중고차 매매 단지의 악명을 모르겠나.

하지만 그런 시련과 역경이 결국 사람을 단단하게 만들기에 아버지는 모른 척하기로 했다.

몇 십만 원이 아니라 3백만 원인 걸 알았다면 그는 결코 이렇게 반응하지 못했으리라.

"아씨. 왜 오늘이 아닌 건데!"

쾅!

잔뜩 기대하며 컴퓨터를 켰던 김민철은 키보드를 내려치며 짜증을 토해 냈다.

"……아니야. 내일이라는 말이지?"

내일 오전 8시 30분에 사이트가 오픈된다.

고작 몇 십만 원도 아니고 무려 3백만 원이다.

이대론 억울해서 못 산다.

그는 내일 출근을 하자마자 꼭 신고를 해야겠다고 다짐하며 컴퓨터를 껐다.

* * *

본청의 경찰도 잘 찾지 않는 지하.

그곳엔 위기관리센터가 있다.

전국 모든 치안 상황을 관리감독을 하는 거대한 부서.

"우리 정말 좌천이 아닌 거 맞죠?"

배정받은 사무실에 도착한 최재수는 망연자실했고, 오택수는 자신도 모르게 담배를 찾았다.

처음 경찰 이미지 마케팅과로 인사이동을 했을 때 배정받은 사무실보다 더 상태가 심각한 사무실.

크기는 그때의 사무실보다 다섯 배는 더 크지만, 여기는 곰팡이가 가득한 것도 모자라 물까지 샌다.

'이러다 본청 인테리어는 내가 다 하겠네.'

종혁도 이 풍경을 보곤 헛웃음을 터트릴 수밖에 없었다.

그때였다.

"어이구. 그쪽이…… 씨벌?"

"오메, 씨부럴. 이건 또 뭐여?"

이쪽으로 다가오던 삼십대 후반 형사들이 사무실의 몰골을 보곤 화들짝 놀란다.

"지하 4호 사무실…… 맞는데?"

"이딴 곳에서 수사를 하라고? 청소하는 데 한세월이겠네."

종혁은 눈을 빛냈다.

"혹시 신설된 특별수사팀의 팀장님들이십니까?"

"그런디…… 그쪽은 누구?"

"충성. 반갑습니다. 1팀 팀장 최종혁 경감입니다."

"……그짝이? 이짝이 아니고?"

"하하. 오택수 경감입니다. 이쪽은 최재수 경장."

"충성!"

놀랐던 두 팀장이 떨떠름한 표정을 짓는다.

하지만 그것도 잠시, 그들의 눈빛이 묘해진다.

'이 젊은 친구가 최종혁……'

그들을 보낸 청장들이 꼭 친해지라고 신신당부한 인물이다.

"충성. 난 3팀장 윤선빈입니다. 계급은 경정. 경기청 출신이에요. 젊다는 말을 듣긴 했지만 이렇게 젊을 줄은 몰랐네요."

"난 2팀 팀장 김판호여. 계급은 이짝과 이하동문. 부산청에 있었고. 나이는 방년 37세! 앞으로 잘해 보드라고!"

"부산…… 청이요? 사투리가 전라도이신데?"

다른 이들도 동감이라는 듯 고개를 끄덕였다.

"으하핫! 그래서 눈칫밥 무자게 먹었제. 그랑께 더 고치기 싫더라고!"

이 말을 듣는 순간 종혁과 다른 사람들 모두 직감했다.

'또라이다.'

하지만 그래서 첫인상은 합격이었다.

"쩝. 나이로 보나 계급으로 보나 제가 가장 어리네요. 다들 말 편히 하십시오."

"수사에 계급과 나이가 무슨 상관이여. 범인만 잘 잡으면 되제. 선의의 경쟁 하자고."

더 마음에 든다.

"하하. 맞는 말이시네요. 그럼 가실까요?"

"우딜?"

"직속 상관에게 인사하려요."

그들의 부서명은 간편신고관리과 특별수사팀이다. 위로 과장이라는 상관이 있었다.

"……아."

그들은 옆의 간편신고관리과로 향했다.

"오픈 준비는 어때?!"

"트래픽 감당할 수 있게 서버 넉넉하게 잡아 놔!"

종혁이 배정받은 사무실과 똑같은 크기의 사무실.

컴퓨터가 빼곡하게 놓인 사무실이 근무복을 입은 수십여 명의 경찰들로 인해 시끄럽다.

오늘이 간편 신고 사이트의 오픈일이기 때문이다.

'씨벌. 여긴 왜 멀쩡혀? 멀쩡하다 못해 신식인디? 우리 좌천이었어?'

'쉿. 쉿.'

그들은 사무실 맨 뒤에서 양손으로 커피가 담긴 종이컵을 잡은 채 사무실을 내려다보고 있는 사십대의 총경에게로 향했다.

"충성. 특별수사 1팀 팀장 경감 최종혁 외 2인."

"2팀장 김판호."

"3팀장 윤선빈."

"현시간부로 간편신고관리과 특별수사팀으로 특별 인사이동을 명 받았기에 이에 신고합니다. 충성."

"……그래요, 만나서 반가워요. 간편신고관리과장 정용진 총경입니다."

종혁은 눈을 번뜩였다.

"혹시 정보 1과에 계셨던……."

"호오?"

마치 세상 다 산 노인처럼 허허롭게 웃고 있던 그의 눈에 순간 날카로움이 서렸다가 사라진다.

"맞아. 최 경감이 경찰 이미지 마케팅팀의 선장이었죠."

경찰의 이미지를 총괄 마케팅하는 곳이기에 부서장들의 이름을 안다고 해도 무리는 아니었다.

그런 그의 생각은 정확했다.

그런 이유로 그의 이름만 겨우 알고 있는 종혁은 속으로 혀를 내둘렀다.

'휘유.'

이곳 위기관리센터보다 한층 더 아래에 위치한 정보국.

정보국 소속 경찰이 아니라면 출입조차 엄금되는 시크릿 부서다. 이 본청 안에는 이런 부서가 몇 개 더 존재한다.

그런 배경에 김판호와 윤선빈도 놀람을 금치 못하다 헛웃음을 터트린다.

'이거 만만치 않은 양반이 상관이구마잉.'

전에 있던 부서도 부서지만, 정용진이 순간 터트렸던 안광을 그들도 본 탓이다.

허허실실. 무서운 부류의 인간이었다.

"그런데 다들 일찍 출근했네요."

아직 특별수사팀 사무실 공사가 시작조차 안 한 상황이다.

"오늘이 사이트 오픈일이잖습니까."

"저도 1팀장과 같은 이유로 와 봤지라. 솔직히 나만 올 줄 알았는디…… 우리 과장님께 점수 따는 건 글렀구마이라."

"하하, 다들 성실하네요. 커피 한잔씩 할래요?"

"예. 주신다면 감사히 먹겠습니다."

"제, 제가 타겠습니다!"

"됐어요. 됐어. 최재수 경장이죠?"

"추, 충성! 경장 최재수!"

"그래요. 잘 부탁해요."

그렇게 말하는 와중 커피를 모두 탄 정용진 총경이 종이컵을 나눠 준다.

"사이트 오픈까지 3분!"

종이컵을 조심히 받아 들던 모두가 사무실을 바라본다.

그런 그들의 눈에 기대감이 차올랐다.

지난 며칠 동안 언론과 뉴스로 신나게 홍보한 간편 신고 사이트. 오늘부터 접수되는 모든 사건이 그들 특별수사팀이 맡을 사건이다.

광역수사대, 마약수사대, 특수범죄수사과처럼 거리와 성역이 없는 특별수사팀. 어떤 의미에선 그들보다 더 막강한 권한을 가진 수사팀.

그들의 몸이 절로 들썩였다.

그런 종혁에게 정용진이 슬그머니 다가선다.

"기분이 어때요. 마지막으로 만든 작품을 보는 소감이."

"글쎄요. 뭐……."

"5! 4! 3! 2! 1! 사이트 오픈!"

"접속자 10명, 35명, 100명 돌파!"

"처, 첫 신고 접수됐습니다! 내용은 중고차……."

"일단 캡처부터 해! 홍보용 자료로 넘겨야 되니까!"

방금 전보다 몇 배는 더 정신이 없어진 사무실의 풍경.

종혁은 눈을 빛냈다.

"나쁘지 않군요."

첫 신고 내역이 중고차 관련이라서 더.

종혁은 입술을 비틀며 커피를 홀짝였고, 그런 종혁을 보는 정용진은 눈을 빛냈다.

"허허."

간편신고관리과를 나서는 김판호와 윤선빈이 헛웃음을 터트린다. 오픈부터 방금까지 10분 사이에 쌓인 신고 내역이 몇 개던가.

실적이 폭우처럼 쏟아지는 소리가 들리는 것 같았다.

'이런 노다지가 저 1팀장 덕분에 만들어졌단 말이제?'

그들을 보낸 청장들이 말했다.

특별수사팀은 종혁이 제안한 간편 신고 시스템으로 인해 창설된 것이라고.

'무조건 친해져야겠네.'

그들의 눈이 묘해지자 대충 상황을 파악한 종혁은 피식 웃으며 수첩을 꺼내 들었다.

"함께할 팀원은 각자 몇 명이세요?"

"그건 왜 물어보시죠?"

"인테리어를 할 때 참고하려고요."

"아."

그들은 각자 데리고 올 팀원의 숫자를 말했고 종혁은 고개를 끄덕였다.

"그럼 이런 게 있으면 좋겠다고 생각하는 건요? 뭐 선호하는 커피메이커라든가 공기청정기라든가 수사 장비라든가. 요리에 취미가 있는 팀원이 있다면 주방도 만들어드릴 거고요."

"자, 잠깐! 정말 그런 것들이 허락된다고요?"

"웜메. 본청, 본청 하는 이유가 다 있었네. 씨부럴."

"푸흡!"

김판호와 윤선빈이 웃음을 터트리다 놀라는 최재수를 본다.

"큼. 인테리어 비용은 모두 저희 1팀장님이 자비로 하실 예정입니다."

휙!

김판호와 윤선빈의 시선이 모이자 종혁은 머리를 긁었다.

그런 그의 손목에서 롤렉스가 영롱하게 빛나고 있다.

"……오메."

친해져야 될 이유가 더 늘었다.

(회귀 경찰의 리셋 라이프 12권에서 계속)